Le jeu de l'amour et du hasard

Marivaux

Le jeu de l'amour et du hasard

Librio

Texte intégral

PERSONNAGES

MONSIEUR ORGON
MARIO
SILVIA
DORANTE
LISETTE, femme de chambre de Sylvia
ARLEQUIN, valet de Dorante
UN LAQUAIS

La scène est à Paris

ACTE PREMIER

SCÈNE PREMIÈRE

SILVIA, LISETTE

SILVIA

Mais, encore une fois, de quoi vous mêlez-vous? Pourquoi répondre de mes sentiments?

LISETTE

C'est que j'ai cru que, dans cette occasion-ci, vos sentiments ressembleraient à ceux de tout le monde; Monsieur votre père me demande si vous êtes bien aise qu'il vous marie, si vous en avez quelque joie; moi je lui réponds qu'oui; cela va tout de suite; et il n'y a peut-être que vous de fille au monde, pour qui ce *oui*-là ne soit pas vrai; le *non* n'est pas naturel.

SILVIA

Le *non* n'est pas naturel! quelle sotte naïveté! Le mariage aurait donc de grands charmes pour vous?

LISETTE

Eh bien, c'est encore *oui*, par exemple.

SILVIA

Taisez-vous, allez répondre vos impertinences ailleurs, et sachez que ce n'est pas à vous à juger de mon cœur par le vôtre.

LISETTE

Mon cœur est fait comme celui de tout le monde; de quoi le vôtre s'avise-t-il de n'être fait comme celui de personne?

SILVIA

Je vous dis que, si elle osait, elle m'appellerait une originale.

LISETTE

Si j'étais votre égale, nous verrions.

SILVIA

Vous travaillez à me fâcher, Lisette.

LISETTE

Ce n'est pas mon dessein. Mais, dans le fond, voyons ; quel mal ai-je fait de dire à Monsieur Orgon que vous étiez bien aise d'être mariée ?

SILVIA

Premièrement, c'est que tu n'as pas dit vrai, je ne m'ennuie pas d'être fille.

LISETTE

Cela est encore tout neuf.

SILVIA

C'est qu'il n'est pas nécessaire que mon père croie me faire tant de plaisir en me mariant, parce que cela le fait agir avec une confiance qui ne servira peut-être de rien.

LISETTE

Quoi ! vous n'épouserez pas celui qu'il vous destine ?

SILVIA

Que sais-je ; peut-être ne me conviendra-t-il point, et cela m'inquiète.

LISETTE

On dit que votre futur est un des plus honnêtes hommes du monde, qu'il est bien fait, aimable, de bonne mine, qu'on ne peut pas avoir plus d'esprit, qu'on ne saurait être d'un meilleur caractère ; que voulez-vous de plus ? Peut-on se figurer de mariage plus doux ? d'union plus délicieuse ?

SILVIA

Délicieuse ! que tu es folle avec tes expressions !

LISETTE

Ma foi, Madame, c'est qu'il est heureux qu'un amant de cette espèce-là veuille se marier dans les formes ; il n'y a presque point de fille, s'il lui faisait la cour, qui ne fût en danger de l'épouser sans cérémonie. Aimable, bien fait, voilà de quoi vivre pour l'amour ; sociable et spirituel, voilà pour l'entretien de la société. Pardi, tout en sera bon, dans cet homme-là : l'utile et l'agréable, tout s'y trouve.

SILVIA

Oui, dans le portrait que tu en fais, et on dit qu'il y ressemble, mais c'est un *on-dit*, et je pourrais bien n'être pas de ce sentiment-là, moi. Il est bel homme, dit-on, et c'est presque tant pis.

LISETTE

Tant pis ! tant pis ! mais voilà une pensée bien hétéroclite !

SILVIA

C'est une pensée de très bon sens. Volontiers un bel homme est fat, je l'ai remarqué.

LISETTE

Oh ! il a tort d'être fat ; mais il a raison d'être beau.

SILVIA

On ajoute qu'il est bien fait ; passe.

LISETTE

Oui-da, cela est pardonnable.

SILVIA

De beauté et de bonne mine, je l'en dispense, ce sont là des agréments superflus.

LISETTE

Vertuchoux ! si je me marie jamais, ce superflu-là sera mon nécessaire.

SILVIA

Tu ne sais ce que tu dis ; dans le mariage, on a plus souvent affaire à l'homme raisonnable qu'à l'aimable homme : en un mot, je ne lui demande qu'un bon caractère, et cela est plus difficile à trouver qu'on ne pense. On loue beaucoup le sien, mais qui est-ce qui a vécu avec lui ? Les hommes ne se contrefont-ils pas, surtout quand ils ont de l'esprit ? N'en ai-je pas vu moi, qui paraissaient, avec leurs amis, les meilleures gens du monde ? c'est la douceur, la raison, l'enjouement même, il n'y a pas jusqu'à leur physionomie qui ne soit garante de toutes les bonnes qualités qu'on leur trouve. Monsieur Untel a l'air d'un galant homme, d'un homme bien raisonnable, disait-on tous les jours d'Ergaste : aussi l'est-il, répondait-on, je l'ai répondu moi-même ; sa physionomie ne vous ment pas d'un mot. Oui, fiez-vous-y à cette physionomie si douce, si prévenante, qui disparaît un quart d'heure après pour faire place à un visage sombre, brutal, farouche, qui devient l'effroi de toute une maison. Ergaste s'est marié : sa femme, ses enfants, son domestique, ne lui connaissent encore que ce visage-là, pendant qu'il promène partout ailleurs cette physionomie si aimable que nous lui voyons, et qui n'est qu'un masque qu'il prend au sortir de chez lui.

LISETTE

Quel fantasque avec ses deux visages !

SILVIA

N'est-on pas content de Léandre, quand on le voit ? Eh bien ! chez lui, c'est un homme qui ne dit mot, qui ne rit, ni qui ne gronde ; c'est une âme glacée, solitaire, inaccessible ; sa femme ne la connaît point, n'a point de commerce avec elle, elle n'est mariée qu'avec une figure qui sort d'un cabinet, qui vient à table, et qui fait expirer de langueur, de froid et d'ennui, tout ce qui l'environne ; n'est-ce pas là un mari bien amusant ?

LISETTE

Je gèle au récit que vous m'en faites. Mais Tersandre, par exemple ?

SILVIA

Oui, Tersandre ! il venait l'autre jour de s'emporter contre sa femme, j'arrive, on m'annonce, je vois un homme qui vient à moi les bras ouverts, d'un air serein, dégagé : vous auriez dit qu'il sortait de la conversation la plus badine ; sa bouche et ses yeux riaient encore. Le fourbe ! voilà ce que c'est que les hommes. Qui est-ce qui croit que sa femme est à plaindre avec lui ? je la trouvai toute abattue, le teint plombé, avec des yeux qui venaient de pleurer : je la trouvai, comme je serai peut-être. Voilà mon portrait à venir ; je vais du moins risquer d'en être une copie. Elle me fit pitié, Lisette. Si j'allais te faire pitié aussi ! Cela est terrible ! qu'en dis-tu ? Songe à ce que c'est qu'un mari.

LISETTE

Un mari ? c'est un mari ; vous ne deviez pas finir par ce mot-là ; il me raccommode avec tout le reste.

SCÈNE 2

MONSIEUR ORGON, SILVIA, LISETTE

MONSIEUR ORGON

Eh bonjour, ma fille. La nouvelle que je viens t'annoncer te fera-t-elle plaisir ? Ton prétendu arrive aujourd'hui ; son père me l'apprend par cette lettre-ci. Tu ne me réponds rien, tu me parais triste ; Lisette de son côté baisse les yeux. Qu'est-ce que cela signifie ? Parle donc, toi ; de quoi s'agit-il ?

LISETTE

Monsieur, un visage qui fait trembler, un autre qui fait mourir de froid, une âme gelée qui se tient à l'écart, et puis le portrait d'une femme qui a le visage abattu, un teint plombé, des yeux bouffis et qui viennent de pleurer : voilà, Monsieur, tout ce que nous considérons avec tant de recueillement.

MONSIEUR ORGON

Que veut dire ce galimatias ? une âme, un portrait ! Explique-toi donc ! je n'y entends rien.

SILVIA

C'est que j'entretenais Lisette du malheur d'une femme maltraitée par son mari ; je lui citais celle de Tersandre, que je trouvai l'autre jour fort abattue, parce que son mari venait de la quereller, et je faisais là-dessus mes réflexions.

LISETTE

Oui, nous parlions d'une physionomie qui va et qui vient, nous disions qu'un mari porte un masque avec le monde, et une grimace avec sa femme.

MONSIEUR ORGON

De tout cela, ma fille, je comprends que le mariage t'alarme, d'autant plus que tu ne connais point Dorante.

LISETTE

Premièrement, il est beau, et c'est presque tant pis.

MONSIEUR ORGON

Tant pis ! Rêves-tu avec ton tant pis ?

LISETTE

Moi, je dis ce qu'on m'apprend ; c'est la doctrine de Madame ; j'étudie sous elle.

MONSIEUR ORGON

Allons, allons, il n'est pas question de tout cela ; tiens, ma chère enfant, tu sais combien je t'aime. Dorante vient pour t'épouser. Dans le dernier voyage que je fis en province, j'arrêtai ce mariage-là avec son père, qui est mon intime et mon ancien ami ; mais ce fut à condition que vous vous plairiez à tous deux, et que vous auriez entière liberté de vous expliquer là-dessus ; je te défends toute complaisance à mon égard : si Dorante ne te convient point, tu n'as qu'à le dire, et il repart ; si tu ne lui convenais pas, il repart de même.

LISETTE

Un *duo* de tendresse en décidera, comme à l'Opéra : Vous me voulez, je vous veux ; vite un notaire ; ou bien : M'aimez-vous ? Non ; ni moi non plus ; vite à cheval.

MONSIEUR ORGON

Pour moi je n'ai jamais vu Dorante ; il était absent quand j'étais chez son père ; mais sur tout le bien qu'on m'en a dit, je ne saurais craindre que vous vous remerciiez ni l'un ni l'autre.

SILVIA

Je suis pénétrée de vos bontés, mon père. Vous me défendez toute complaisance, et je vous obéirai.

MONSIEUR ORGON

Je te l'ordonne.

SILVIA

Mais, si j'osais, je vous proposerais, sur une idée qui me vient, de m'accorder une grâce qui me tranquilliserait tout à fait.

MONSIEUR ORGON

Parle : si la chose est faisable, je te l'accorde.

13

SILVIA

Elle est très faisable ; mais je crains que ce ne soit abuser de vos bontés.

MONSIEUR ORGON

Eh bien ! abuse : va, dans ce monde, il faut être un peu trop bon pour l'être assez.

LISETTE

Il n'y a que le meilleur de tous les hommes qui puisse dire cela.

MONSIEUR ORGON

Explique-toi, ma fille.

SILVIA

Dorante arrive ici aujourd'hui, si je pouvais le voir, l'examiner un peu sans qu'il me connût ; Lisette a de l'esprit, Monsieur ; elle pourrait prendre ma place pour un peu de temps, et je prendrais la sienne.

MONSIEUR ORGON, *à part*

Son idée est plaisante. *(Haut.)* Laisse-moi rêver un peu à ce que tu me dis là. *(À part.)* Si je la laisse faire, il doit arriver quelque chose de bien singulier, elle ne s'y attend pas elle-même... *(Haut.)* Soit, ma fille, je te permets le déguisement. Es-tu bien sûre de soutenir le tien, Lisette ?

LISETTE

Moi, Monsieur, vous savez qui je suis ; essayez de m'en conter, et manquez de respect, si vous l'osez. À cette contenance-ci, voilà un échantillon des bons airs avec lesquels je vous attends. Qu'en dites-vous ? hem ? retrouvez-vous Lisette ?

MONSIEUR ORGON

Comment donc ! je m'y trompe actuellement moi-même. Mais il n'y a point de temps à perdre : va t'ajuster suivant ton rôle, Dorante peut nous surprendre : hâtez-vous, et qu'on donne le mot à toute la maison.

SILVIA

Il ne me faut presque qu'un tablier.

LISETTE

Et moi, je vais à ma toilette, venez m'y coiffer, Lisette, pour vous accoutumer à vos fonctions ; un peu d'attention à votre service, s'il vous plaît.

SILVIA

Vous serez contente, Marquise, marchons.

SCÈNE 3

MARIO, MONSIEUR ORGON, SILVIA

MARIO

Ma sœur, je te félicite de la nouvelle que j'apprends ; nous allons voir ton amant, dit-on.

SILVIA

Oui, mon frère ; mais je n'ai pas le temps de m'arrêter : j'ai des affaires sérieuses, et mon père vous les dira ; je vous quitte.

SCÈNE 4

MONSIEUR ORGON, MARIO

MONSIEUR ORGON

Ne l'amusez pas, Mario ; venez, vous saurez de quoi il s'agit.

MARIO

Qu'y a-t-il de nouveau, Monsieur ?

MONSIEUR ORGON

Je commence par vous recommander d'être discret sur ce que je vais vous dire au moins.

MARIO

Je suivrai vos ordres.

MONSIEUR ORGON

Nous verrons Dorante aujourd'hui ; mais nous ne le verrons que déguisé.

MARIO

Déguisé ! viendra-t-il en partie de masque ? lui donnerez-vous le bal ?

MONSIEUR ORGON

Écoutez l'article de la lettre du père. Hum... « Je ne sais au reste ce que vous penserez d'une imagination qui est venue à mon fils ; elle est bizarre, il en convient lui-même, mais le motif en est pardonnable et même délicat ; c'est qu'il m'a prié de lui permettre de n'arriver d'abord chez vous que sous la figure de son valet, qui de son côté fera le personnage de son maître. »

MARIO

Ah ! ah ! cela sera plaisant.

MONSIEUR ORGON

Écoutez le reste... « Mon fils sait combien l'engagement qu'il va prendre est sérieux, et il espère, dit-il, sous ce déguisement de peu de durée, saisir quelques traits du caractère de notre future et la mieux connaître, pour se régler ensuite sur ce qu'il doit faire, suivant la liberté que nous sommes convenus de leur laisser. Pour moi, qui m'en fie bien à ce que vous m'avez dit de votre aimable fille, j'ai consenti à tout, en prenant la précaution de vous avertir, quoiqu'il m'ait demandé le secret de votre côté ; vous en userez là-dessus avec la future comme vous le jugerez à propos... » Voilà ce que le père m'écrit. Ce n'est pas le tout, voici ce qui arrive ; c'est que votre sœur, inquiète de son côté sur le chapitre de Dorante, dont elle ignore le secret, m'a demandé de jouer ici la même comédie, et cela précisément pour observer Dorante, comme Dorante veut l'observer. Qu'en dites-vous ? Savez-vous rien de plus particulier que cela ? Actuellement, la maîtresse et la suivante se travestissent. Que me conseillez-vous, Mario ? Avertirai-je votre sœur ou non ?

MARIO

Ma foi, Monsieur, puisque les choses prennent ce train-là, je ne voudrais pas les déranger, et je respecterais l'idée qui leur est inspirée à l'un et à l'autre ; il faudra bien qu'ils se parlent souvent tous deux sous ce déguisement ; voyons si leur cœur ne les avertirait pas de ce qu'ils valent. Peut-être que Dorante prendra du goût pour ma sœur, toute soubrette qu'elle sera, et cela serait charmant pour elle.

MONSIEUR ORGON

Nous verrons un peu comment elle se tirera d'intrigue.

MARIO

C'est une aventure qui ne saurait manquer de nous divertir. Je veux me trouver au début, et les agacer tous deux.

SCÈNE 5

SILVIA, MONSIEUR ORGON, MARIO

SILVIA

Me voilà, Monsieur ; ai-je mauvaise grâce en femme de chambre ? Et vous, mon frère, vous savez de quoi il s'agit apparemment, comment me trouvez-vous ?

MARIO

Ma foi, ma sœur, c'est autant de pris que le valet ; mais tu pourrais bien aussi escamoter Dorante à ta maîtresse.

SILVIA

Franchement, je ne haïrais pas de lui plaire sous le personnage que je joue ; je ne serais pas fâchée de subjuguer sa raison, de l'étourdir un peu sur la distance qu'il y aura de lui à moi ; si mes charmes font ce coup-là, ils me feront plaisir, je les estimerai ; d'ailleurs, cela m'aiderait à démêler Dorante. À l'égard de son valet, je ne crains pas ses soupirs, ils n'oseront m'aborder : il y aura quelque chose dans ma physionomie qui inspirera plus de respect que d'amour à ce faquin-là.

MARIO

Allons doucement, ma sœur, ce faquin-là sera votre égal.

MONSIEUR ORGON

Et ne manquera pas de t'aimer.

SILVIA

Eh bien ! l'honneur de lui plaire ne me sera pas inutile ; les valets sont naturellement indiscrets, l'amour est babillard, et j'en ferai l'historien de son maître.

UN VALET

Monsieur, il vient d'arriver un domestique qui demande à vous parler ; il est suivi d'un crocheteur qui porte une valise.

MONSIEUR ORGON

Qu'il entre : c'est sans doute le valet de Dorante ; son maître peut être resté au Bureau pour affaires. Où est Lisette ?

SILVIA

Lisette s'habille, et dans son miroir, nous trouve très imprudents de lui livrer Dorante ; elle aura bientôt fait.

MONSIEUR ORGON

Doucement, on vient.

SCÈNE 6

DORANTE, *en valet*, MONSIEUR ORGON, SILVIA, MARIO

DORANTE

Je cherche Monsieur Orgon, n'est-ce pas à lui que j'ai l'honneur de faire la révérence ?

MONSIEUR ORGON

Oui, mon ami, c'est à lui-même.

DORANTE

Monsieur, vous avez sans doute reçu de nos nouvelles, j'appartiens à Monsieur Dorante, qui me suit, et qui m'envoie toujours devant vous assurer de ses respects, en attendant qu'il vous en assure lui-même.

MONSIEUR ORGON

Tu fais ta commission de fort bonne grâce. Lisette, que dis-tu de ce garçon-là ?

SILVIA

Moi, Monsieur, je dis qu'il est bienvenu, et qu'il promet.

DORANTE

Vous avez bien de la bonté, je fais du mieux qu'il m'est possible.

MARIO

Il n'est pas mal tourné au moins : ton cœur n'a qu'à se bien tenir, Lisette.

SILVIA

Mon cœur ! c'est bien des affaires.

DORANTE

Ne vous fâchez pas, Mademoiselle, ce que dit Monsieur ne m'en fait point accroire.

SILVIA

Cette modestie-là me plaît, continuez de même.

MARIO

Fort bien ! mais il me semble que ce nom de Mademoiselle qu'il te donne est bien sérieux. Entre gens comme vous, le style des compliments ne doit pas être si grave ; vous seriez toujours sur le qui-vive ; allons, traitez-vous plus commodément. Tu as nom Lisette ; et toi, mon garçon, comment t'appelles-tu ?

DORANTE

Bourguignon, Monsieur, pour vous servir.

SILVIA

Eh bien, Bourguignon, soit !

DORANTE

Va donc pour Lisette, je n'en serai pas moins votre serviteur.

MARIO

Votre serviteur ! ce n'est point encore là votre jargon ; c'est ton serviteur qu'il faut dire.

MONSIEUR ORGON

Ah, ah, ah, ah !

SILVIA, *bas à Mario*

Vous me jouez, mon frère.

DORANTE

À l'égard du tutoiement, j'attends les ordres de Lisette.

SILVIA

Fais comme tu voudras, Bourguignon ; voilà la glace rompue, puisque cela divertit ces Messieurs.

Dorante

Je t'en remercie, Lisette, et je réponds sur-le-champ
à l'honneur que tu me fais.

Monsieur Orgon

Courage, mes enfants ; si vous commencez à vous
aimer, vous voilà débarrassés des cérémonies.

Mario

Oh ! doucement ; s'aimer, c'est une autre affaire ;
vous ne savez peut-être pas que j'en veux au cœur de
Lisette, moi qui vous parle. Il est vrai qu'il m'est cruel ;
mais je ne veux pas que Bourguignon aille sur mes
brisées.

Silvia

Oui ! le prenez-vous sur ce ton-là ? Et moi, je veux
que Bourguignon m'aime.

Dorante

Tu te fais tort de dire je veux, belle Lisette ; tu n'as
pas besoin d'ordonner pour être servie.

Mario

Mons Bourguignon, vous avez pillé cette galante-
rie-là quelque part.

Dorante

Vous avez raison, Monsieur ; c'est dans ses yeux que
je l'ai prise.

Mario

Tais-toi, c'est encore pis, je te défends d'avoir tant
d'esprit.

Silvia

Il ne l'a pas à vos dépens, et s'il en trouve dans mes
yeux, il n'a qu'à prendre.

MONSIEUR ORGON

Mon fils, vous perdrez votre procès, retirons-nous, Dorante va venir, allons le dire à ma fille ; et vous, Lisette, montrez à ce garçon l'appartement de son maître. Adieu, Bourguignon.

DORANTE

Monsieur, vous me faites trop d'honneur.

SCÈNE 7

SILVIA, DORANTE

SILVIA, *à part*

Ils se donnent la comédie, n'importe, mettons tout à profit ; ce garçon-ci n'est pas sot, et je ne plains pas la soubrette qui l'aura. Il va m'en conter ; laissons-le dire, pourvu qu'il m'instruise.

DORANTE, *à part*

Cette fille-ci m'étonne ! Il n'y a point de femme au monde à qui sa physionomie ne fît honneur ; lions connaissance avec elle... *(Haut.)* Puisque nous sommes dans le style amical et que nous avons abjuré les façons, dis-moi, Lisette, ta maîtresse te vaut-elle ? Elle est bien hardie d'oser avoir une femme de chambre comme toi.

SILVIA

Bourguignon, cette question-là m'annonce que, suivant la coutume, tu arrives avec l'intention de me dire des douceurs, n'est-il pas vrai ?

DORANTE

Ma foi, je n'étais pas venu dans ce dessein-là, je te l'avoue ; tout valet que je suis, je n'ai jamais eu de grande liaison avec les soubrettes : je n'aime pas l'esprit domestique ; mais à ton égard, c'est une autre affaire. Comment donc ! tu me soumets, je suis presque timide, ma familiarité n'oserait s'apprivoiser avec toi, j'ai toujours envie d'ôter mon chapeau de dessus ma tête, et quand je te tutoie, il me semble que je joue ; enfin j'ai un penchant à te traiter avec des respects qui te feraient rire. Quelle espèce de suivante es-tu donc, avec ton air de princesse ?

SILVIA

Tiens, tout ce que tu dis avoir senti en me voyant est précisément l'histoire de tous les valets qui m'ont vue.

DORANTE

Ma foi, je ne serais pas surpris quand ce serait aussi l'histoire de tous les maîtres.

SILVIA

Le trait est joli, assurément ; mais je te le répète encore, je ne suis pas faite aux cajoleries de ceux dont la garde-robe ressemble à la tienne.

DORANTE

C'est-à-dire que ma parure ne te plaît pas ?

SILVIA

Non, Bourguignon ; laissons là l'amour, et soyons bons amis.

DORANTE

Rien que cela ! ton petit traité n'est composé que de deux clauses impossibles.

SILVIA, *à part*

Quel homme pour un valet ! *(Haut.)* Il faut pourtant qu'il s'exécute ; on m'a prédit que je n'épouserai jamais qu'un homme de condition, et j'ai juré depuis de n'en écouter jamais d'autres.

DORANTE

Parbleu, cela est plaisant ! Ce que tu as juré pour homme, je l'ai juré pour femme, moi ; j'ai fait serment de n'aimer sérieusement qu'une fille de condition.

SILVIA

Ne t'écarte donc pas de ton projet.

DORANTE

Je ne m'en écarte peut-être pas tant que nous le croyons. Tu as l'air bien distingué, et l'on est quelquefois fille de condition sans le savoir.

SILVIA

Ah, ah, ah ! je te remercierais de ton éloge, si ma mère n'en faisait pas les frais.

DORANTE

Eh bien ! venge-t'en sur la mienne, si tu me trouves assez bonne mine pour cela.

SILVIA, *à part*

Il le mériterait. *(Haut.)* Mais ce n'est pas là de quoi il est question ; trêve de badinage, c'est un homme de condition qui m'est prédit pour époux, et je n'en rabattrai rien.

DORANTE

Parbleu ! si j'étais tel, la prédiction me menacerait ; j'aurais peur de la vérifier ; je n'ai point de foi à l'astrologie, mais j'en ai beaucoup à ton visage.

SILVIA, *à part*

Il ne tarit point... *(Haut.)* Finiras-tu ? que t'importe la prédiction, puisqu'elle t'exclut ?

DORANTE

Elle n'a pas prédit que je ne t'aimerais point.

SILVIA

Non, mais elle a dit que tu n'y gagnerais rien ; et moi, je te le confirme.

DORANTE

Tu fais fort bien, Lisette, cette fierté-là te va à merveille, et quoiqu'elle me fasse mon procès, je suis pourtant bien aise de te la voir ; je te l'ai souhaitée d'abord que je t'ai vue. Il te fallait encore cette grâce-là, et je me console d'y perdre, parce que tu y gagnes.

SILVIA, *à part*

Mais, en vérité, voilà un garçon qui me surprend malgré que j'en aie... *(Haut.)* Dis-moi, qui es-tu toi qui me parles ainsi ?

DORANTE

Le fils d'honnêtes gens qui n'étaient pas riches.

SILVIA

Va, je te souhaite de bon cœur une meilleure situation que la tienne, et je voudrais pouvoir y contribuer : la fortune a tort avec toi.

DORANTE

Ma foi, l'amour a plus de tort qu'elle ; j'aimerais mieux qu'il me fût permis de te demander ton cœur, que d'avoir tous les biens du monde.

SILVIA, *à part*

Nous voilà grâce au Ciel, en conversation réglée. *(Haut.)* Bourguignon, je ne saurais me fâcher des discours que tu me tiens ; mais je t'en prie, changeons d'entretien. Venons à ton maître. Tu peux te passer de me parler d'amour, je pense ?

DORANTE

Tu pourrais bien te passer de m'en faire sentir, toi.

SILVIA

Ahi ! je me fâcherai : tu m'impatientes ; encore une fois, laisse là ton amour.

DORANTE

Quitte donc ta figure.

SILVIA, *à part*

À la fin, je crois qu'il m'amuse... *(Haut.)* Eh bien, Bourguignon, tu ne veux donc pas finir ? Faudra-t-il que je te quitte ? *(À part.)* Je devrais déjà l'avoir fait.

DORANTE

Attends, Lisette, je voulais moi-même te parler d'autre chose ; mais je ne sais plus ce que c'est.

SILVIA

J'avais de mon côté quelque chose à te dire ; mais tu m'as fait perdre mes idées aussi à moi.

DORANTE

Je me rappelle de t'avoir demandé si ta maîtresse te valait.

SILVIA

Tu reviens à ton chemin par un détour, adieu.

DORANTE

Eh non, te dis-je, Lisette, il ne s'agit ici que de mon maître.

SILVIA

Eh bien ! soit ; je voulais te parler de lui aussi, et j'espère que tu voudras bien me dire confidemment ce qu'il est ; ton attachement pour lui m'en donne bonne opinion ; il faut qu'il ait du mérite, puisque tu le sers.

DORANTE

Tu me permettras peut-être bien de te remercier de ce que tu me dis là, par exemple ?

OSILVIA

Veux-tu bien ne prendre pas garde à l'imprudence que j'ai eue de le dire ?

DORANTE

Voilà encore de ces réponses qui m'emportent ; fais comme tu voudras, je n'y résiste point, et je suis bien malheureux de me trouver arrêté par tout ce qu'il y a de plus aimable au monde.

SILVIA

Et moi, je voudrais bien savoir comment il se fait que j'ai la bonté de t'écouter, car assurément, cela est singulier !

DORANTE

Tu as raison, notre aventure est unique.

SILVIA, *à part*

Malgré tout ce qu'il m'a dit, je ne suis point partie, je ne pars point, me voilà encore, et je réponds ! en vérité, cela passe la raillerie. *(Haut.)* Adieu.

DORANTE

Achevons donc ce que nous voulions dire.

SILVIA

Adieu, te dis-je, plus de quartiers. Quand ton maître sera venu, je tâcherai en faveur de ma maîtresse, de le connaître par moi-même, s'il en vaut la peine. En attendant, tu vois cet appartement, c'est le vôtre.

DORANTE

Tiens, voici mon maître.

SCÈNE 8

DORANTE, SILVIA, ARLEQUIN

ARLEQUIN

Ah ! te voilà, Bourguignon. Mon porte-manteau et toi, avez-vous été bien reçus ici ?

DORANTE

Il n'était pas possible qu'on nous reçût mal, Monsieur.

ARLEQUIN

Un domestique là-bas m'a dit d'entrer ici, et qu'on allait avertir mon beau-père qui était avec ma femme.

SILVIA

Vous voulez dire Monsieur Orgon et sa fille, sans doute, Monsieur ?

ARLEQUIN

Eh oui, mon beau-père et ma femme, autant vaut. Je viens pour épouser, et ils m'attendent pour être mariés ; cela est convenu, il ne manque plus que la cérémonie, qui est une bagatelle.

SILVIA

C'est une bagatelle qui vaut bien la peine qu'on y pense.

ARLEQUIN

Oui ; mais quand on y a pensé, on n'y pense plus.

SILVIA, *bas à Dorante*

Bourguignon, on est homme de mérite à bon marché chez vous, ce me semble ?

ARLEQUIN

Que dites-vous là à mon valet, la belle ?

SILVIA

Rien, je lui dis seulement que je vais faire descendre Monsieur Orgon.

ARLEQUIN

Et pourquoi ne pas dire mon beau-père, comme moi ?

SILVIA

C'est qu'il ne l'est pas encore.

DORANTE

Elle a raison, Monsieur, le mariage n'est pas fait.

ARLEQUIN

Eh bien ! me voilà pour le faire.

DORANTE

Attendez donc qu'il soit fait.

ARLEQUIN

Pardi ! voilà bien des façons, pour un beau-père de la veille ou du lendemain !

SILVIA

En effet, quelle si grande différence y a-t-il entre être marié ou ne l'être pas ? Oui, Monsieur, nous avons tort, et je cours informer votre beau-père de votre arrivée.

ARLEQUIN

Et ma femme aussi, je vous prie. Mais avant que de partir, dites-moi une chose : vous, qui êtes si jolie, n'êtes-vous pas la soubrette de l'hôtel ?

SILVIA

Vous l'avez dit.

ARLEQUIN

C'est fort bien fait, je m'en réjouis. Croyez-vous que je plaise ici ? Comment me trouvez-vous ?

SILVIA

Je vous trouve... plaisant.

ARLEQUIN

Bon, tant mieux : entretenez-vous dans ce sentiment-là, il pourra trouver sa place.

SILVIA

Vous êtes bien modeste de vous en contenter ; mais je vous quitte ; il faut qu'on ait oublié d'avertir votre beau-père, car assurément il serait venu, et j'y vais.

ARLEQUIN

Dites-lui que je l'attends avec affection.

SILVIA, *à part*

Que le sort est bizarre ! aucun de ces deux hommes n'est à sa place.

SCÈNE 9

DORANTE, ARLEQUIN

ARLEQUIN

Eh bien ! Monsieur, mon commencement va bien ; je plais déjà à la soubrette.

DORANTE

Butor que tu es !

ARLEQUIN

Pourquoi donc, mon entrée est si gentille.

DORANTE

Tu m'avais tant promis de laisser là tes façons de parler sottes et triviales. Je t'avais donné de si bonnes instructions. Je ne t'avais recommandé que d'être sérieux. Va, je vois bien que je suis un étourdi de m'en être fié à toi.

ARLEQUIN

Je ferai encore mieux dans les suites, et puisque le sérieux n'est pas suffisant, je donnerai du mélancolique ; je pleurerai, s'il le faut.

DORANTE

Je ne sais plus où j'en suis ; cette aventure-ci m'étourdit : que faut-il que je fasse ?

ARLEQUIN

Est-ce que la fille n'est pas plaisante ?

DORANTE

Tais-toi ; voici Monsieur Orgon qui vient.

SCÈNE 10

MONSIEUR ORGON, DORANTE, ARLEQUIN

MONSIEUR ORGON

Mon cher Monsieur, je vous demande mille pardons de vous avoir fait attendre ; mais ce n'est que de cet instant que j'apprends que vous êtes ici.

ARLEQUIN

Monsieur, mille pardons, c'est beaucoup trop, et il n'en faut qu'un quand on n'a fait qu'une faute ; au surplus, tous mes pardons sont à votre service.

MONSIEUR ORGON

Je tâcherai de n'en avoir pas besoin.

ARLEQUIN

Vous êtes le maître, et moi votre serviteur.

MONSIEUR ORGON

Je suis, je vous assure, charmé de vous voir, et je vous attendais avec impatience.

ARLEQUIN

Je serais d'abord venu ici avec Bourguignon ; mais quand on arrive de voyage, vous savez qu'on est si mal bâti, et j'étais bien aise de me présenter dans un état plus ragoûtant.

MONSIEUR ORGON

Vous y avez fort bien réussi. Ma fille s'habille, elle a été un peu indisposée ; en attendant qu'elle descende, voulez-vous vous rafraîchir ?

ARLEQUIN

Oh ! je n'ai jamais refusé de trinquer avec personne.

MONSIEUR ORGON

Bourguignon, ayez soin de vous, mon garçon.

ARLEQUIN

Le gaillard est gourmet, il boira du meilleur.

MONSIEUR ORGON

Qu'il ne l'épargne pas.

ACTE II

Scène première

LISETTE, MONSIEUR ORGON

MONSIEUR ORGON
Eh bien, que me veux-tu, Lisette ?

LISETTE
J'ai à vous entretenir un moment.

MONSIEUR ORGON
De quoi s'agit-il ?

LISETTE
De vous dire l'état où sont les choses, parce qu'il est important que vous en soyez éclairci, afin que vous n'ayez point à vous plaindre de moi.

MONSIEUR ORGON
Ceci est donc bien sérieux ?

LISETTE
Oui, très sérieux. Vous avez consenti au déguisement de Mademoiselle Silvia ; moi-même, je l'ai trouvé d'abord sans conséquence, mais je me suis trompée.

MONSIEUR ORGON
Et de quelle conséquence est-il donc ?

LISETTE
Monsieur, on a de la peine à se louer soi-même, mais malgré toutes les règles de la modestie, il faut pourtant

que je vous dise que, si vous ne mettez ordre à ce qui arrive, votre prétendu gendre n'aura plus de cœur à donner à Mademoiselle votre fille. Il est temps qu'elle se déclare, cela presse, car un jour plus tard, je n'en réponds plus.

MONSIEUR ORGON

Eh, d'où vient qu'il ne voudra plus de ma fille, quand il la connaîtra ? te défies-tu de ses charmes ?

LISETTE

Non ; mais vous ne vous méfiez pas assez des miens. Je vous avertis qu'ils vont leur train, et que je ne vous conseille pas de les laisser faire.

MONSIEUR ORGON

Je vous en fais mes compliments, Lisette. *(Il rit.)* Ah, ah, ah !

LISETTE

Nous y voilà ; vous plaisantez, Monsieur, vous vous moquez de moi. J'en suis fâchée, car vous y serez pris.

MONSIEUR ORGON

Ne t'en embarrasse pas, Lisette, va ton chemin.

LISETTE

Je vous le répète encore, le cœur de Dorante va bien vite ; tenez, actuellement je lui plais beaucoup, ce soir il m'aimera, il m'adorera demain, je ne le mérite pas, il est de mauvais goût, vous en direz ce qu'il vous plaira ; mais cela ne laissera pas que d'être. Voyez-vous, demain je me garantis adorée.

MONSIEUR ORGON

Eh bien ! que vous importe ? s'il vous aime tant, qu'il vous épouse.

LISETTE

Quoi ! vous ne l'en empêcheriez pas ?

Monsieur Orgon

Non, d'homme d'honneur, si tu le mènes jusque-là.

Lisette

Monsieur, prenez-y garde, jusqu'ici je n'ai pas aidé à mes appas, je les ai laissé faire tout seuls ; j'ai ménagé sa tête, si je m'en mêle, je la renverse, il n'y aura plus de remède.

Monsieur Orgon

Renverse, ravage, brûle, enfin épouse, je te le permets, si tu le peux.

Lisette

Sur ce pied-là, je compte ma fortune faite.

Monsieur Orgon

Mais dis moi : ma fille t'a-t-elle parlé ? que pense-t-elle de son prétendu ?

Lisette

Nous n'avons encore guère trouvé le moment de nous parler, car ce prétendu m'obsède ; mais à vue de pays, je ne la crois pas contente, je la trouve triste, rêveuse, et je m'attends bien qu'elle me priera de le rebuter.

Monsieur Orgon

Et moi, je te le défends. J'évite de m'expliquer avec elle, j'ai mes raisons pour faire durer ce déguisement ; je veux qu'elle examine son futur plus à loisir. Mais le valet, comment se gouverne-t-il ? ne se mêle-t-il pas d'aimer ma fille ?

Lisette

C'est un original : j'ai remarqué qu'il fait l'homme de conséquence avec elle parce qu'il est bien fait ; il la regarde et soupire.

MONSIEUR ORGON

Et cela la fâche ?

LISETTE

Mais... elle rougit.

MONSIEUR ORGON

Bon ! tu te trompes ; les regards d'un valet ne l'embarrassent pas jusque-là.

LISETTE

Monsieur, elle rougit.

MONSIEUR ORGON

C'est donc d'indignation.

LISETTE

À la bonne heure.

MONSIEUR ORGON

Eh bien, quand tu lui parleras, dis-lui que tu soupçonnes ce valet de la prévenir contre son maître ; et si elle se fâche, ne t'en inquiète point, ce sont mes affaires. Mais voici Dorante qui te cherche apparemment.

SCÈNE 2

LISETTE, ARLEQUIN, MONSIEUR ORGON

ARLEQUIN

Ah, je vous retrouve, merveilleuse dame, je vous demandais à tout le monde ; serviteur, cher beau-père, ou peu s'en faut.

MONSIEUR ORGON

Serviteur. Adieu, mes enfants, je vous laisse ensemble ; il est bon que vous vous aimiez un peu avant que de vous marier.

ARLEQUIN

Je ferais bien ces deux besognes-là à la fois, moi.

MONSIEUR ORGON

Point d'impatience, adieu.

SCÈNE 3

LISETTE, ARLEQUIN

ARLEQUIN

Madame, il dit que je ne m'impatiente pas ; il en parle bien à son aise, le bonhomme.

LISETTE

J'ai de la peine à croire qu'il vous en coûte tant d'attendre, Monsieur ; c'est par galanterie que vous faites l'impatient ; à peine êtes-vous arrivé ! Votre amour ne saurait être bien fort, ce n'est tout au plus qu'un amour naissant.

ARLEQUIN

Vous vous trompez, prodige de nos jours ! un amour de votre façon ne reste pas longtemps au berceau ; votre premier coup d'œil a fait naître le mien, le second lui a donné des forces et le troisième l'a rendu grand garçon ; tâchons de l'établir au plus vite ; ayez soin de lui puisque vous êtes sa mère.

LISETTE

Trouvez-vous qu'on le maltraite ? est-il si abandonné ?

ARLEQUIN

En attendant qu'il soit pourvu, donnez-lui seulement votre belle main blanche, pour l'amuser un peu.

37

LISETTE

Tenez donc, petit importun, puisqu'on ne saurait avoir la paix qu'en vous amusant.

ARLEQUIN, *lui baisant la main*

Cher joujou de mon âme ! cela me réjouit comme du vin délicieux. Quel dommage de n'en avoir que roquille !

LISETTE

Allons, arrêtez-vous, vous êtes trop avide.

ARLEQUIN

Je ne demande qu'à me soutenir, en attendant que je vive.

LISETTE

Ne faut-il pas avoir de la raison ?

ARLEQUIN

De la raison ! hélas ! je l'ai perdue ; vos beaux yeux sont les filous qui me l'ont volée.

LISETTE

Mais est-il possible que vous m'aimiez tant ? je ne saurais me le persuader.

ARLEQUIN

Je ne me soucie pas de ce qui est possible, moi ; mais je vous aime comme un perdu, et vous verrez bien dans votre miroir que cela est juste.

LISETTE

Mon miroir ne servirait qu'à me rendre plus incrédule.

ARLEQUIN

Ah ! mignonne ! adorable ! votre humilité ne serait donc qu'une hypocrite !

LISETTE

Quelqu'un vient à nous ; c'est votre valet.

SCÈNE 4

DORANTE, ARLEQUIN, LISETTE

DORANTE

Monsieur, pourrais-je vous entretenir un moment ?

ARLEQUIN

Non : maudite soit la valetaille qui ne saurait nous
laisser en repos !

LISETTE

Voyez ce qu'il nous veut, Monsieur.

DORANTE

Je n'ai qu'un mot à vous dire.

ARLEQUIN

Madame, s'il en dit deux, son congé sera le troisième. Voyons ?

DORANTE, *bas à Arlequin*

Viens donc, impertinent.

ARLEQUIN, *bas à Dorante*

Ce sont des injures, et non pas des mots cela...
(À Lisette.) Ma Reine, excusez.

LISETTE

Faites, faites.

DORANTE

Débarrasse-moi de tout ceci, ne te livre point, parais
sérieux et rêveur, et même mécontent, entends-tu ?

ARLEQUIN

Oui, mon ami, ne vous inquiétez pas, et retirez-vous.

SCÈNE 5

ARLEQUIN, LISETTE

ARLEQUIN

Ah ! Madame ! sans lui j'allais vous dire de belles choses ! et je n'en trouverai plus que de communes à cette heure, hormis mon amour qui est extraordinaire. Mais à propos de mon amour, quand est-ce que le vôtre lui tiendra compagnie ?

LISETTE

Il faut espérer que cela viendra.

ARLEQUIN

Et croyez-vous que cela vienne ?

LISETTE

La question est vive ; savez-vous bien que vous m'embarrassez ?

ARLEQUIN

Que voulez-vous ? je brûle, et je crie au feu.

LISETTE

S'il m'était permis de m'expliquer si vite...

ARLEQUIN

Je suis du sentiment que vous le pouvez en conscience.

LISETTE

La retenue de mon sexe ne le veut pas.

ARLEQUIN

Ce n'est donc pas la retenue d'à présent qui donne bien d'autres permissions.

LISETTE

Mais, que me demandez-vous ?

ARLEQUIN

Dites-moi un petit brin que vous m'aimez ; tenez, je vous aime, moi : faites l'écho, répétez, Princesse.

LISETTE

Quel insatiable ! eh bien ! Monsieur, je vous aime.

ARLEQUIN

Eh bien, Madame, je me meurs ; mon bonheur me confond, j'ai peur d'en courir les champs ; vous m'aimez, cela est admirable !

LISETTE

J'aurais lieu à mon tour d'être étonnée de la promptitude de votre hommage ; peut-être m'aimerez-vous moins quand nous nous connaîtrons mieux.

ARLEQUIN

Ah, Madame, quand nous en serons là, j'y perdrai beaucoup, il y aura bien à décompter.

LISETTE

Vous me croyez plus de qualités que je n'en ai.

ARLEQUIN

Et vous Madame, vous ne savez pas les miennes ; et je ne devrais vous parler qu'à genoux.

LISETTE

Souvenez-vous qu'on n'est pas les maîtres de son sort.

ARLEQUIN

Les pères et mères font tout à leur tête.

LISETTE

Pour moi, mon cœur vous aurait choisi, dans quelque état que vous eussiez été.

ARLEQUIN

Il a beau jeu pour me choisir encore.

LISETTE

Puis-je me flatter que vous êtes de même à mon égard ?

ARLEQUIN

Hélas ! quand vous ne seriez que Perrette ou Margot, quand je vous aurais vue, le martinet à la main, descendre à la cave, vous auriez toujours été ma princesse.

LISETTE

Puissent de si beaux sentiments être durables !

ARLEQUIN

Pour les fortifier de part et d'autre, jurons-nous de nous aimer toujours, en dépit de toutes les fautes d'orthographe que vous aurez faites sur mon compte.

LISETTE

J'ai plus d'intérêt à ce serment-là que vous, et je le fais de tout mon cœur.

ARLEQUIN *se met à genoux*

Votre bonté m'éblouit, et je me prosterne devant elle.

LISETTE

Arrêtez-vous, je ne saurais vous souffrir dans cette posture-là, je serais ridicule de vous y laisser ; levez-vous. Voilà encore quelqu'un.

Scène 6

Lisette, Arlequin, Silvia

Lisette

Que voulez-vous, Lisette ?

Silvia

J'aurais à vous parler, Madame.

Arlequin

Ne voilà-t-il pas ! Hé ma mie, revenez dans un quart d'heure, allez, les femmes de chambre de mon pays n'entrent point qu'on ne les appelle.

Silvia

Monsieur, il faut que je parle à Madame.

Arlequin

Mais voyez l'opiniâtre soubrette ! Reine de ma vie, renvoyez-la. Retournez-vous-en, ma fille, nous avons ordre de nous aimer avant qu'on nous marie ; n'interrompez point nos fonctions.

Lisette

Ne pouvez-vous pas revenir dans un moment, Lisette ?

Silvia

Mais, Madame...

Arlequin

Mais ! Ce mais-là n'est bon qu'à me donner la fièvre.

Silvia, *à part les premiers mots*

Ah le vilain homme ! Madame, je vous assure que cela est pressé.

Lisette

Permettez donc que je m'en défasse, Monsieur.

ARLEQUIN

Puisque le Diable le veut, et elle aussi... Patience...
je me promènerai en attendant qu'elle ait fait. Ah, les
sottes gens que nos gens !

SCÈNE 7

SILVIA, LISETTE

SILVIA

Je vous trouve admirable de ne pas le renvoyer tout
d'un coup, et de me faire essuyer les brutalités de cet
animal-là.

LISETTE

Pardi, Madame, je ne puis pas jouer deux rôles à la
fois ; il faut que je paraisse ou la maîtresse, ou la suivante, que j'obéisse ou que j'ordonne.

SILVIA

Fort bien ; mais puisqu'il n'y est plus, écoutez-moi
comme votre maîtresse : vous voyez bien que cet
homme-là ne me convient point.

LISETTE

Vous n'avez pas eu le temps de l'examiner beaucoup.

SILVIA

Êtes-vous folle, avec votre examen ? est-il nécessaire
de le voir deux fois pour juger du peu de convenance ?
En un mot, je n'en veux point. Apparemment que mon
père n'approuve pas la répugnance qu'il me voit, car il
me fuit, et ne me dit mot. Dans cette conjoncture, c'est
à vous à me tirer tout doucement d'affaire, en témoi-
gnant adroitement à ce jeune homme que vous n'êtes
pas dans le goût de l'épouser.

LISETTE

Je ne saurais, Madame.

SILVIA

Vous ne sauriez ! et qu'est-ce qui vous en empêche ?

LISETTE

Monsieur Orgon me l'a défendu.

SILVIA

Il vous l'a défendu ? Mais je ne reconnais point mon père à ce procédé-là !

LISETTE

Positivement défendu.

SILVIA

Eh bien ! je vous charge de lui dire mes dégoûts, et de l'assurer qu'ils sont invincibles ; je ne saurais me persuader qu'après cela il veuille pousser les choses plus loin.

LISETTE

Mais, Madame, le futur, qu'a-t-il donc de si désagréable, de si rebutant ?

SILVIA

Il me déplaît, vous dis-je, et votre peu de zèle aussi.

LISETTE

Donnez-vous le temps de voir ce qu'il est, voilà tout ce qu'on vous demande.

SILVIA

Je le hais assez sans prendre du temps pour le haïr davantage.

LISETTE

Son valet qui fait l'important ne vous aurait-il point gâté l'esprit sur son compte ?

SILVIA

Hum, la sotte ! son valet a bien affaire ici !

LISETTE

C'est que je me méfie de lui, car il est raisonneur.

SILVIA

Finissez vos portraits, on n'en a que faire. J'ai soin que ce valet me parle peu, et dans le peu qu'il m'a dit, il ne m'a jamais rien dit que de très sage.

LISETTE

Je crois qu'il est homme à vous avoir conté des histoires maladroites, pour faire briller son bel esprit.

SILVIA

Mon déguisement ne m'expose-t-il pas à m'entendre dire de jolies choses ? à qui en avez-vous ? d'où vous vient la manie d'imputer à ce garçon une répugnance à laquelle il n'a point de part ? car enfin, vous m'obligez à le justifier ; il n'est pas question de le brouiller avec son maître, ni d'en faire un fourbe, pour me faire moi une imbécile qui écoute ses histoires.

LISETTE

Oh ! Madame, dès que vous le défendez sur ce ton-là, et que cela va jusqu'à vous fâcher, je n'ai plus rien à dire.

SILVIA

Dès que je vous le défends sur ce ton-là ! qu'est-ce que c'est que le ton dont vous dites cela vous-même ? Qu'entendez-vous par ce discours ? Que se passe-t-il dans votre esprit ?

LISETTE

Je dis, Madame, que je ne vous ai jamais vue comme vous êtes, et que je ne conçois rien à votre aigreur. Eh bien, si ce valet n'a rien dit, à la bonne heure, il ne faut pas vous emporter pour le justifier ; je vous crois, voilà qui est fini ; je ne m'oppose pas à la bonne opinion que vous en avez, moi.

SILVIA

Voyez-vous le mauvais esprit ! comme elle tourne les choses ! je me sens dans une indignation... qui... va jusqu'aux larmes.

LISETTE

En quoi donc, Madame ? Quelle finesse entendez-vous à ce que je dis ?

SILVIA

Moi, j'y entends finesse ! moi, je vous querelle pour lui ! j'ai bonne opinion de lui ! vous me manquez de respect jusque-là ! bonne opinion, juste Ciel ! Bonne opinion ! Que faut-il que je réponde à cela ? qu'est-ce que cela veut dire ? À qui parlez-vous ? qui est-ce qui est à l'abri de ce qui m'arrive ? où en sommes-nous ?

LISETTE

Je n'en sais rien, mais je ne reviendrai de longtemps de la surprise où vous me jetez.

SILVIA

Elle a des façons de parler qui me mettent hors de moi. Retirez-vous, vous m'êtes insupportable, laissez-moi, je prendrai d'autres mesures.

SCÈNE 8

SILVIA

SILVIA

Je frissonne encore de ce que je lui ai entendu dire. Avec quelle impudence les domestiques ne nous trai-tent-ils pas dans leur esprit ! comme ces gens-là vous dégradent ! je ne saurais m'en remettre, je n'oserais songer aux termes dont elle s'est servie, ils me font toujours peur. Il s'agit d'un valet. Ah l'étrange chose ! écartons l'idée dont cette insolente est venue me noircir l'imagination. Voici Bourguignon, voilà cet objet en question pour lequel je m'emporte ; mais ce n'est pas sa faute, le pauvre garçon, et je ne dois pas m'en prendre à lui.

SCÈNE 9

DORANTE, SILVIA

DORANTE

Lisette, quelque éloignement que tu aies pour moi, je suis forcé de te parler, je crois que j'ai à me plaindre de toi.

SILVIA

Bourguignon, ne nous tutoyons plus, je t'en prie.

DORANTE

Comme tu voudras.

SILVIA

Tu n'en fais pourtant rien.

DORANTE

Ni toi non plus : tu me dis, je t'en prie.

SILVIA

C'est que cela m'est échappé.

DORANTE

Eh bien ! crois-moi, parlons comme nous pourrons, ce n'est pas la peine de nous gêner pour le peu de temps que nous avons à nous voir.

SILVIA

Est-ce que ton maître s'en va ? il n'y aurait pas grande perte.

DORANTE

Ni à moi non plus, n'est-il pas vrai ? j'achève ta
pensée.

SILVIA

Je l'achèverais bien moi-même si j'en avais envie ;
mais je ne songe pas à toi.

DORANTE

Et moi, je ne te perds point de vue.

SILVIA

Tiens, Bourguignon, une bonne fois pour toutes,
demeure, va-t'en, reviens, tout cela doit m'être indiffé-
rent, et me l'est en effet : je ne te veux ni bien, ni mal ;
je ne te hais, ni ne t'aime, ni ne t'aimerai, à moins que
l'esprit ne me tourne. Voilà mes dispositions, ma raison ne m'en permet point d'autres, et je devrais me
dispenser de te le dire.

DORANTE

Mon malheur est inconcevable, tu m'ôtes peut-être
tout le repos de ma vie.

SILVIA

Quelle fantaisie il s'est allé mettre dans l'esprit ! il
me fait de la peine : reviens à toi ; tu me parles, je te
réponds, c'est beaucoup, c'est trop même, tu peux m'en
croire, et si tu étais instruit, en vérité, tu serais content
de moi, tu me trouverais d'une bonté sans exemple,
d'une bonté que je blâmerais dans une autre ; je ne me
la reproche pourtant pas, le fond de mon cœur me ras-
sure, ce que je fais est louable, c'est par générosité que
je te parle, mais il ne faut pas que cela dure, ces géné-
rosités-là ne sont bonnes qu'en passant, et je ne suis
pas faite pour me rassurer toujours sur l'innocence de
mes intentions ; à la fin, cela ne ressemblerait plus à
rien. Ainsi finissons, Bourguignon ; finissons, je t'en
prie ; qu'est-ce que cela signifie ? c'est se moquer,
allons, qu'il n'en soit plus parlé.

Dorante

Ah ! ma chère Lisette, que je souffre !

Silvia

Venons à ce que tu voulais me dire, tu te plaignais de moi quand tu es entré, de quoi était-il question ?

Dorante

De rien, d'une bagatelle, j'avais envie de te voir, et je crois que je n'ai pris qu'un prétexte.

Silvia, *à part*

Que dire à cela ? quand je m'en fâcherais, il n'en serait ni plus ni moins.

Dorante

Ta maîtresse, en partant, a paru m'accuser de t'avoir parlé au désavantage de mon maître.

Silvia

Elle se l'imagine, et si elle t'en parle encore, tu peux le nier hardiment, je me charge du reste.

Dorante

Eh, ce n'est pas cela qui m'occupe !

Silvia

Si tu n'as que cela à me dire, nous n'avons plus que faire ensemble.

Dorante

Laisse-moi du moins le plaisir de te voir.

Silvia

Le beau motif qu'il me fournit là ! J'amuserai la passion de Bourguignon ! Le souvenir de tout ceci me fera bien rire un jour.

DORANTE

Tu me railles, tu as raison, je ne sais ce que je dis, ni ce que je te demande. Adieu.

SILVIA

Adieu, tu prends le bon parti... mais, à propos de tes adieux, il me reste encore une chose à savoir, vous partez, m'as-tu dit, cela est-il sérieux ?

DORANTE

Pour moi, il faut que je parte, ou que la tête me tourne.

SILVIA

Je ne t'arrêtais pas pour cette réponse-là, par exemple.

DORANTE

Et je n'ai fait qu'une faute, c'est de n'être pas parti dès que je t'ai vue.

SILVIA, *à part*

J'ai besoin à tout moment d'oublier que je l'écoute.

DORANTE

Si tu savais, Lisette, l'état où je me trouve...

SILVIA

Oh, il n'est pas si curieux à savoir que le mien, je t'en assure.

DORANTE

Que peux-tu me reprocher ? je ne me propose pas de te rendre sensible.

SILVIA, *à part*

Il ne faudrait pas s'y fier.

DORANTE

Et que pourrais-je espérer en tâchant de me faire aimer ? hélas ! quand même j'aurais ton cœur...

SILVIA

Que le Ciel m'en préserve ! quand tu l'aurais, tu ne le saurais pas, et je ferais si bien que je ne le saurais pas moi-même : tenez, quelle idée il lui vient là !

DORANTE

Il est donc bien vrai que tu ne me hais, ni ne m'aimes, ni ne m'aimeras ?

SILVIA

Sans difficulté.

DORANTE

Sans difficulté ! Qu'ai-je donc de si affreux ?

SILVIA

Rien, ce n'est pas là ce qui te nuit.

DORANTE

Eh bien, chère Lisette, dis-le-moi cent fois, que tu ne m'aimeras point.

SILVIA

Oh, je te l'ai assez dit, tâche de me croire.

DORANTE

Il faut que je le croie ! Désespère une passion dangereuse, sauve-moi des effets que j'en crains ; tu ne me hais, ni ne m'aimes, ni ne m'aimeras ! accable mon cœur de cette certitude-là ! j'agis de bonne foi, donne-moi du secours contre moi-même, il m'est nécessaire, je te le demande à genoux.

Il se jette à genoux. Dans ce moment, Monsieur Orgon et Mario entrent et ne disent mot.

SCÈNE 10

MONSIEUR ORGON, MARIO, SILVIA, DORANTE

SILVIA

Ah, nous y voilà ! il ne manquait plus que cette façon-là à mon aventure. Que je suis malheureuse ! c'est ma facilité qui le place là ; lève- toi donc, Bourguignon, je t'en conjure ; il peut venir quelqu'un. Je dirai ce qu'il te plaira : que me veux-tu ? je ne te hais point. Lève-toi, je t'aimerais si je pouvais, tu ne me déplais point, cela doit te suffire.

DORANTE

Quoi ! Lisette ; si je n'étais pas ce que je suis, si j'étais riche, d'une condition honnête, et que je t'aimasse autant que je t'aime, ton cœur n'aurait point de répugnance pour moi ?

SILVIA

Assurément.

DORANTE

Tu ne me haïrais pas ? tu me souffrirais ?

SILVIA

Volontiers, mais lève-toi.

DORANTE

Tu parais le dire sérieusement ; et si cela est, ma raison est perdue.

SILVIA

Je dis ce que tu veux, et tu ne te lèves point.

MONSIEUR ORGON, *s'approchant*

C'est bien dommage de vous interrompre, cela va à merveille, mes enfants ; courage !

Silvia

Je ne saurais empêcher ce garçon de se mettre à genoux, Monsieur, je ne suis pas en état de lui en imposer, je pense ?

Monsieur Orgon

Vous vous convenez parfaitement bien tous deux ; mais j'ai à te dire un mot, Lisette, et vous reprendrez votre conversation quand nous serons partis : vous le voulez bien, Bourguignon ?

Dorante

Je me retire, Monsieur.

Monsieur Orgon

Allez, et tâchez de parler de votre maître avec un peu plus de ménagement que vous ne faites.

Dorante

Moi, Monsieur ?

Mario

Vous-même, mons Bourguignon ; vous ne brillez pas trop dans le respect que vous avez pour votre maître, dit-on.

Dorante

Je ne sais ce qu'on veut dire.

Monsieur Orgon

Adieu, adieu ; vous vous justifierez une autre fois.

SCÈNE 11

SILVIA, MARIO, MONSIEUR ORGON

MONSIEUR ORGON

Eh bien ! Silvia, vous ne nous regardez pas, vous avez l'air tout embarrassé.

SILVIA

Moi, mon père ! et où serait le motif de mon embarras ? Je suis, grâce au Ciel, comme à mon ordinaire ; je suis fâchée de vous dire que c'est une idée.

MARIO

Il y a quelque chose, ma sœur, il y a quelque chose.

SILVIA

Quelque chose dans votre tête, à la bonne heure, mon frère ; mais, pour dans la mienne, il n'y a que l'étonnement de ce que vous dites.

MONSIEUR ORGON

C'est donc ce garçon qui vient de sortir qui t'inspire cette extrême antipathie que tu as pour son maître ?

SILVIA

Qui ? Le domestique de Dorante ?

MONSIEUR ORGON

Oui, le galant Bourguignon.

SILVIA

Le galant Bourguignon, dont je ne savais pas l'épithète, ne me parle pas de lui.

MONSIEUR ORGON

Cependant, on prétend que c'est lui qui le détruit auprès de toi, et c'est sur quoi j'étais bien aise de te parler.

SILVIA

Ce n'est pas la peine, mon père, et personne au monde que son maître ne m'a donné l'aversion naturelle que j'ai pour lui.

MARIO

Ma foi, tu as beau dire, ma sœur, elle est trop forte pour être si naturelle, et quelqu'un y a aidé.

SILVIA, *avec vivacité*

Avec quel air mystérieux vous me dites cela, mon frère ! Et qui est donc ce quelqu'un qui y a aidé ? voyons.

MARIO

Dans quelle humeur es-tu, ma sœur ? comme tu t'emportes !

SILVIA

C'est que je suis bien lasse de mon personnage, et je me serais déjà démasquée si je n'avais pas craint de fâcher mon père.

MONSIEUR ORGON

Gardez-vous-en bien, ma fille, je viens ici pour vous le recommander ; puisque j'ai eu la complaisance de vous permettre votre déguisement, il faut, s'il vous plaît, que vous ayez celle de suspendre votre jugement sur Dorante, et de voir si l'aversion qu'on vous a donnée pour lui est légitime.

SILVIA

Vous ne m'écoutez donc point, mon père ? Je vous dis qu'on ne me l'a point donnée !

MARIO

Quoi, ce babillard qui vient de sortir ne t'a pas un peu dégoûtée de lui ?

SILVIA, *avec feu*

Que vos discours sont désobligeants ! m'a dégoûtée
de lui ! dégoûtée ! j'essuie des expressions bien étran-
ges ; je n'entends plus que des choses inouïes, qu'un
langage inconcevable ; j'ai l'air embarrassé, il y a quelque chose, et puis c'est le galant Bourguignon qui m'a
dégoûtée. C'est tout ce qu'il vous plaira, mais je n'y
entends rien.

MARIO

Pour le coup, c'est toi qui es étrange : à qui en as-tu
donc ? d'où vient que tu es si fort sur le qui-vive ? dans
quelle idée nous soupçonnes-tu ?

SILVIA

Courage, mon frère, par quelle fatalité aujourd'hui
ne pouvez-vous me dire un mot qui ne me choque ?
Quel soupçon voulez-vous qui me vienne ? avez-vous
des visions ?

MONSIEUR ORGON

Il est vrai que tu es si agitée que je ne te reconnais
point non plus. Ce sont apparemment ces mouve-
ments-là qui sont cause que Lisette nous a parlé
comme elle a fait. Elle accusait ce valet de ne t'avoir
pas entretenue à l'avantage de son maître, et Madame,
nous a-t-elle dit, l'a défendu contre moi avec tant de
colère, que j'en suis encore toute surprise, et c'est sur
ce mot de surprise que nous l'avons querellée ; mais
ces gens-là ne savent pas la conséquence d'un mot.

SILVIA

L'impertinente ! y a-t-il rien de plus haïssable que
cette fille-là ? J'avoue que je me suis fâchée par un
esprit de justice pour ce garçon.

MARIO

Je ne vois point de mal à cela.

SILVIA

Y a-t-il rien de plus simple ? Quoi ! parce que je suis équitable, que je veux qu'on ne nuise à personne, que je veux sauver un domestique du tort qu'on peut lui faire auprès de son maître, on dit que j'ai des emportements, des fureurs dont on est surprise ? Un moment après, un mauvais esprit raisonne, il faut se fâcher, il faut la faire taire, et prendre mon parti contre elle à cause de la conséquence de ce qu'elle dit ? mon parti ! J'ai donc besoin qu'on me défende, qu'on me justifie ? on peut donc mal interpréter ce que je fais ? mais que fais-je ? de quoi m'accuse-t-on ? instruisez-moi, je vous en conjure ; cela est-il sérieux ? me joue-t-on ? se moque-t-on de moi ? je ne suis pas tranquille.

MONSIEUR ORGON

Doucement donc.

SILVIA

Non, Monsieur, il n'y a point de douceur qui tienne ; comment donc ? des surprises, des conséquences ! Eh qu'on s'explique, que veut-on dire ? On accuse ce valet, et on a tort ; vous vous trompez tous, Lisette est une folle, il est innocent, et voilà qui est fini ; pourquoi donc m'en reparler encore ? car je suis outrée !

MONSIEUR ORGON

Tu te retiens, ma fille, tu aurais grande envie de me quereller aussi. Mais faisons mieux, il n'y a que ce valet qui est suspect ici, Dorante n'a qu'à le chasser.

SILVIA

Quel malheureux déguisement ! Surtout que Lisette ne m'approche pas, je la hais plus que Dorante.

MONSIEUR ORGON

Tu la verras si tu veux, mais tu dois être charmée que ce garçon s'en aille, car il t'aime, et cela t'importune assurément.

SILVIA

Je n'ai point à m'en plaindre, il me prend pour une suivante, et il me parle sur ce ton-là ; mais il ne me dit pas ce qu'il veut, j'y mets bon ordre.

MARIO

Tu n'en es pas tant la maîtresse que tu le dis bien.

MONSIEUR ORGON

Ne l'avons-nous pas vu se mettre à genoux malgré toi ? n'as-tu pas été obligée, pour le faire lever, de lui dire qu'il ne te déplaisait pas ?

SILVIA, *à part*

J'étouffe.

MARIO

Encore a-t-il fallu, quand il t'a demandé si tu l'aimerais, que tu aies tendrement ajouté : volontiers, sans quoi il y serait encore.

SILVIA

L'heureuse apostille, mon frère ! Mais comme l'action m'a déplu, la répétition n'en est pas aimable ; ah çà parlons sérieusement, quand finira la comédie que vous donnez sur mon compte ?

MONSIEUR ORGON

La seule chose que j'exige de toi, ma fille, c'est de ne te déterminer à le refuser qu'avec connaissance de cause ; attends encore, tu me remercieras du délai que je demande, je t'en réponds.

MARIO

Tu épouseras Dorante, et même avec inclination, je te le prédis... Mais, mon père, je vous demande grâce pour le valet.

SILVIA

Pourquoi grâce ? et moi je veux qu'il sorte.

Monsieur Orgon

Son maître en décidera, allons-nous-en.

Mario

Adieu, adieu ma sœur, sans rancune.

Scène 12

Silvia *seule,* Dorante *qui vient peu après*

Silvia

Ah, que j'ai le cœur serré ! je ne sais ce qui se mêle à l'embarras où je me trouve : toute cette aventure-ci m'afflige, je me défie de tous les visages, je ne suis contente de personne : je ne le suis pas de moi-même.

Dorante

Ah, je te cherchais, Lisette.

Silvia

Ce n'était pas la peine de me trouver, car je te fuis, moi.

Dorante

Arrête donc, Lisette, j'ai à te parler pour la dernière fois : il s'agit d'une chose de conséquence qui regarde tes maîtres.

Silvia

Va la dire à eux-mêmes ; je ne te vois jamais que tu ne me chagrines : laisse-moi.

Dorante

Je t'en offre autant ; mais écoute-moi, te dis-je, tu vas voir les choses bien changer de face, par ce que je te vais dire.

SILVIA

Eh bien ! parle donc, je t'écoute, puisqu'il est arrêté que ma complaisance pour toi sera éternelle.

DORANTE

Me promets-tu le secret ?

SILVIA

Je n'ai jamais trahi personne.

DORANTE

Tu ne dois la confidence que je vais te faire qu'à l'estime que j'ai pour toi.

SILVIA

Je le crois ; mais tâche de m'estimer sans me le dire, car cela sent le prétexte.

DORANTE

Tu te trompes, Lisette : tu m'as promis le secret ; achevons, tu m'as vu dans de grands mouvements, je n'ai pu me défendre de t'aimer.

SILVIA

Nous y voilà, je me défendrai bien de t'entendre, moi, adieu.

DORANTE

Reste, ce n'est plus Bourguignon qui te parle.

SILVIA

Eh, qui es-tu donc ?

DORANTE

Ah, Lisette ! c'est ici où tu vas juger des peines qu'a dû ressentir mon cœur.

SILVIA

Ce n'est pas à ton cœur à qui je parle, c'est à toi.

DORANTE

Personne ne vient-il ?

SILVIA

Non.

DORANTE

L'état où sont toutes les choses me force à te le dire, je suis trop honnête homme pour n'en pas arrêter le cours.

SILVIA

Soit.

DORANTE

Sache que celui qui est avec ta maîtresse n'est pas ce qu'on pense.

SILVIA, *vivement*

Qui est-il donc ?

DORANTE

Un valet.

SILVIA

Après ?

DORANTE

C'est moi qui suis Dorante.

SILVIA, *à part*

Ah ! je vois clair dans mon cœur.

DORANTE

Je voulais sous cet habit pénétrer un peu ce que c'était que ta maîtresse, avant de l'épouser. Mon père, en partant, me permit ce que j'ai fait, et l'événement m'en paraît un songe : je hais la maîtresse dont je devais être l'époux, et j'aime la suivante qui ne devait trouver en moi qu'un nouveau maître. Que faut-il que je fasse à présent ? je rougis pour elle de le dire, mais ta maîtresse a si peu de goût qu'elle est éprise de mon valet au point qu'elle l'épousera si on le laisse faire. Quel parti prendre ?

SILVIA, *à part*

Cachons-lui qui je suis... *(Haut.)* Votre situation est neuve assurément ! mais, Monsieur, je vous fais d'abord mes excuses de tout ce que mes discours ont pu avoir d'irrégulier dans nos entretiens.

DORANTE, *vivement*

Tais-toi, Lisette ; tes excuses me chagrinent, elles me rappellent la distance qui nous sépare, et ne me la rendent que plus douloureuse.

SILVIA

Votre penchant pour moi est-il si sérieux ? m'aimez-vous jusque-là ?

DORANTE

Au point de renoncer à tout engagement, puisqu'il ne m'est pas permis d'unir mon sort au tien ; et dans cet état, la seule douceur que je pouvais goûter, c'était de croire que tu ne me haïssais pas.

SILVIA

Un cœur qui m'a choisie dans la condition où je suis est assurément bien digne qu'on l'accepte, et je le payerais volontiers du mien, si je ne craignais pas de le jeter dans un engagement qui lui ferait tort.

DORANTE

N'as-tu pas assez de charmes, Lisette ? y ajoutes-tu encore la noblesse avec laquelle tu me parles ?

SILVIA

J'entends quelqu'un. Patientez encore sur l'article de votre valet, les choses n'iront pas si vite, nous nous reverrons, et nous chercherons les moyens de vous tirer d'affaire.

DORANTE

Je suivrai tes conseils.

Il sort.

SILVIA

Allons, j'avais grand besoin que ce fût là Dorante !

SCÈNE 13

SILVIA, MARIO

MARIO

Je viens te retrouver, ma sœur. Nous t'avons laissée dans des inquiétudes qui me touchent : je veux t'en tirer, écoute-moi.

SILVIA, *vivement*

Ah vraiment, mon frère, il y a bien d'autres nouvelles !

MARIO

Qu'est-ce que c'est ?

SILVIA

Ce n'est point Bourguignon, mon frère, c'est Dorante.

MARIO

Duquel parlez-vous donc ?

SILVIA

De lui, vous dis-je, je viens de l'apprendre tout à l'heure. Il sort, il me l'a dit lui-même.

MARIO

Qui donc ?

SILVIA

Vous ne m'entendez donc pas ?

MARIO

Si j'y comprends rien, je veux mourir.

SILVIA

Venez, sortons d'ici, allons trouver mon père, il faut qu'il le sache. J'aurai besoin de vous aussi, mon frère, il me vient de nouvelles idées, il faudra feindre de m'aimer, vous en avez déjà dit quelque chose en badinant ; mais surtout gardez bien le secret, je vous en prie...

MARIO

Oh je le garderai bien, car je ne sais ce que c'est.

SILVIA

Allons, mon frère, venez, ne perdons point de temps ; il n'est jamais rien arrivé d'égal à cela !

MARIO

Je prie le Ciel qu'elle n'extravague pas.

ACTE III

SCÈNE PREMIÈRE

DORANTE, ARLEQUIN

ARLEQUIN

Hélas ! Monsieur, mon très honoré maître, je vous en conjure.

DORANTE

Encore ?

ARLEQUIN

Ayez compassion de ma bonne aventure, ne portez point guignon à mon bonheur qui va son train si rondement, ne lui fermez point le passage.

DORANTE

Allons donc, misérable, je crois que tu te moques de moi ! Tu mériterais cent coups de bâton.

ARLEQUIN

Je ne les refuse point, si je les mérite ; mais quand je les aurais reçus, permettez-moi d'en mériter d'autres : voulez-vous que j'aille chercher le bâton ?

DORANTE

Maraud !

ARLEQUIN

Maraud soit, mais cela n'est point contraire à faire fortune.

DORANTE

Ce coquin ! quelle imagination il lui prend !

ARLEQUIN

Coquin est encore bon, il me convient aussi : un maraud n'est point déshonoré d'être appelé coquin ; mais un coquin peut faire un bon mariage.

DORANTE

Comment, insolent, tu veux que je laisse un honnête homme dans l'erreur, et que je souffre que tu épouses sa fille sous mon nom ? Écoute, si tu me parles encore de cette impertinence-là, dès que j'aurai averti Monsieur Orgon de ce que tu es, je te chasse, entends-tu ?

ARLEQUIN

Accommodons-nous : cette demoiselle m'adore, elle m'idolâtre ; si je lui dis mon état de valet, et que, nonobstant, son tendre cœur soit toujours friand de la noce avec moi, ne laisserez-vous pas jouer les violons ?

DORANTE

Dès qu'on te connaîtra, je ne m'en embarrasse plus.

ARLEQUIN

Bon ! et je vais de ce pas prévenir cette généreuse personne sur mon habit de caractère. J'espère que ce ne sera pas un galon de couleur qui nous brouillera ensemble, et que son amour me fera passer à la table en dépit du sort qui ne m'a mis qu'au buffet.

SCÈNE 2

DORANTE *seul, et ensuite* MARIO

DORANTE

Tout ce qui se passe ici, tout ce qui m'y est arrivé à moi-même est incroyable... Je voudrais pourtant bien voir Lisette, et savoir le succès de ce qu'elle m'a promis de faire auprès de sa maîtresse pour me tirer d'embarras. Allons voir si je pourrai la trouver seule.

MARIO

Arrêtez, Bourguignon, j'ai un mot à vous dire.

DORANTE

Qu'y a-t-il pour votre service, Monsieur ?

MARIO

Vous en contez à Lisette ?

DORANTE

Elle est si aimable, qu'on aurait de la peine à ne lui pas parler d'amour.

MARIO

Comment reçoit-elle ce que vous lui dites ?

DORANTE

Monsieur, elle en badine.

MARIO

Tu as de l'esprit, ne fais-tu pas l'hypocrite ?

DORANTE

Non ; mais qu'est-ce que cela vous fait ? Supposez que Lisette eût du goût pour moi...

MARIO

Du goût pour lui ! où prenez-vous vos termes ? Vous avez le langage bien précieux pour un garçon de votre espèce.

DORANTE

Monsieur, je ne saurais parler autrement.

MARIO

C'est apparemment avec ces petites délicatesses-là que vous attaquez Lisette ? cela imite l'homme de condition.

DORANTE

Je vous assure, Monsieur, que je n'imite personne ; mais sans doute que vous ne venez pas exprès pour me traiter de ridicule, et vous aviez autre chose à me dire ? nous parlions de Lisette, de mon inclination pour elle et de l'intérêt que vous y prenez.

MARIO

Comment morbleu ! Il y a déjà un ton de jalousie dans ce que tu me réponds ; modère-toi un peu. Eh bien, tu me disais qu'en supposant que Lisette eût du goût pour toi... après ?

DORANTE

Pourquoi faudrait-il que vous le sussiez, Monsieur ?

MARIO

Ah, le voici ; c'est que malgré le ton badin que j'ai pris tantôt, je serais très fâché qu'elle t'aimât ; c'est que sans autre raisonnement, je te défends de t'adresser davantage à elle ; non pas dans le fond que je craigne qu'elle t'aime, elle me paraît avoir le cœur trop haut pour cela, mais c'est qu'il me déplaît à moi d'avoir Bourguignon pour rival.

DORANTE

Ma foi, je vous crois, car Bourguignon, tout Bourguignon qu'il est, n'est pas même content que vous soyez le sien.

MARIO

Il prendra patience.

DORANTE

Il faudra bien ; mais Monsieur, vous l'aimez donc beaucoup ?

MARIO

Assez pour m'attacher sérieusement à elle, dès que j'aurai pris de certaines mesures ; comprends-tu ce que cela signifie ?

DORANTE

Oui, je crois que je suis au fait ; et sur ce pied-là vous êtes aimé sans doute ?

MARIO

Qu'en penses-tu ? Est-ce que je ne vaux pas la peine de l'être ?

DORANTE

Vous ne vous attendez pas à être loué par vos propres rivaux peut-être ?

MARIO

La réponse est de bon sens, je te la pardonne ; mais je suis bien mortifié de ne pouvoir pas dire qu'on m'aime, et je ne le dis pas pour t'en rendre compte, comme tu le crois bien, mais c'est qu'il faut dire la vérité.

DORANTE

Vous m'étonnez, Monsieur, Lisette ne sait donc pas vos desseins ?

MARIO

Lisette sait tout le bien que je lui veux, et n'y paraît pas sensible, mais j'espère que la raison me gagnera son cœur. Adieu, retire-toi sans bruit : son indifférence pour moi malgré tout ce que je lui offre doit te consoler du sacrifice que tu me feras... ta livrée n'est pas propre à faire pencher la balance en ta faveur, et tu n'es pas fait pour lutter contre moi.

SCÈNE 3

SILVIA, DORANTE, MARIO

MARIO

Ah te voilà, Lisette ?

SILVIA

Qu'avez-vous, Monsieur ? vous me paraissez ému ?

MARIO

Ce n'est rien, je disais un mot à Bourguignon.

SILVIA

Il est triste, est-ce que vous le querelliez ?

DORANTE

Monsieur m'apprend qu'il vous aime, Lisette.

SILVIA

Ce n'est pas ma faute.

DORANTE

Et me défend de vous aimer.

SILVIA

Il me défend donc de vous paraître aimable.

MARIO

Je ne saurais empêcher qu'il ne t'aime, belle Lisette, mais je ne veux pas qu'il te le dise.

SILVIA

Il ne me le dit plus, il ne fait que me le répéter.

MARIO

Du moins ne te le répétera-t-il pas quand je serai présent ; retirez-vous, Bourguignon.

DORANTE

J'attends qu'elle me l'ordonne.

MARIO

Encore ?

SILVIA

Il dit qu'il attend, ayez donc patience.

DORANTE

Avez-vous de l'inclination pour Monsieur ?

SILVIA

Quoi, de l'amour ? oh, je crois qu'il ne sera pas nécessaire qu'on me le défende.

DORANTE

Ne me trompez-vous pas ?

MARIO

En vérité, je joue ici un joli personnage, qu'il sorte donc ! À qui est-ce que je parle ?

DORANTE

À Bourguignon, voilà tout.

MARIO

Eh bien, qu'il s'en aille.

DORANTE, *à part*

Je souffre.

SILVIA

Cédez, puisqu'il se fâche.

DORANTE, *bas à Silvia*

Vous ne demandez, peut-être, pas mieux ?

MARIO

Allons, finissons.

DORANTE

Vous ne m'aviez pas dit cet amour-là, Lisette.

SCÈNE 4

MONSIEUR ORGON, MARIO, SILVIA

SILVIA

Si je n'aimais pas cet homme-là, avouons que je serais bien ingrate.

MARIO, *riant*

Ha, ha, ha, ha !

MONSIEUR ORGON

De quoi riez-vous, Mario ?

MARIO

De la colère de Dorante qui sort, et que j'ai obligé de quitter Lisette.

SILVIA

Mais que vous a-t-il dit dans le petit entretien que vous avez eu tête à tête avec lui ?

MARIO

Je n'ai jamais vu d'homme ni plus intrigué, ni de plus mauvaise humeur.

MONSIEUR ORGON

Je ne suis pas fâché qu'il soit la dupe de son propre stratagème, et d'ailleurs à le bien prendre il n'y a rien de si flatteur ni de plus obligeant pour lui que tout ce que tu as fait jusqu'ici, ma fille ; mais en voilà assez.

MARIO

Mais où en est-il précisément, ma sœur ?

SILVIA

Hélas, mon frère ! je vous avoue que j'ai lieu d'être contente.

MARIO

Hélas, mon frère, me dit-elle ! sentez-vous cette paix douce qui se mêle à ce qu'elle dit ?

MONSIEUR ORGON

Quoi ! ma fille ! tu espères qu'il ira jusqu'à t'offrir sa main dans le déguisement où te voilà ?

SILVIA

Oui, mon cher père, je l'espère !

MARIO

Friponne que tu es, avec ton cher père ! tu ne nous grondes plus à présent, tu nous dis des douceurs.

SILVIA

Vous ne me passez rien.

MARIO

Ha, ha, je prends ma revanche ; tu m'as tantôt chicané sur mes expressions, il faut bien à mon tour que je badine un peu sur les tiennes ; ta joie est bien aussi divertissante que l'était ton inquiétude.

MONSIEUR ORGON

Vous n'aurez point à vous plaindre de moi, ma fille, j'acquiesce à tout ce qui vous plaît.

SILVIA

Ah, Monsieur, si vous saviez combien je vous aurai d'obligation ! Dorante et moi, nous sommes destinés l'un à l'autre, il doit m'épouser ; si vous saviez combien je lui tiendrai compte de ce qu'il fait aujourd'hui pour moi, combien mon cœur gardera le souvenir de l'excès de tendresse qu'il me montre, si vous saviez combien tout ceci va rendre notre union aimable ! il ne pourra jamais se rappeler notre histoire sans m'aimer, je n'y songerai jamais que je ne l'aime. Vous avez fondé notre bonheur pour la vie, en me laissant faire, c'est un mariage unique ; c'est une aventure dont le seul récit est attendrissant ; c'est le coup de hasard le plus singulier, le plus heureux, le plus...

MARIO

Ha, ha, ha, que ton cœur a de caquet, ma sœur, quelle éloquence !

MONSIEUR ORGON

Il faut convenir que le régal que tu te donnes est charmant, surtout si tu achèves.

SILVIA

Cela vaut fait, Dorante est vaincu, j'attends mon captif.

MARIO

Ses fers seront plus dorés qu'il ne pense ; mais je lui crois l'âme en peine, et j'ai pitié de ce qu'il souffre.

SILVIA

Ce qui lui en coûte à se déterminer ne me le rend que plus estimable : il pense qu'il chagrinera son père en m'épousant, il croit trahir sa fortune et sa naissance, voilà de grands sujets de réflexion, je serai charmée de triompher. Mais il faut que j'arrache ma victoire, et non pas qu'il me la donne : je veux un combat entre l'amour et la raison.

MARIO

Et que la raison y périsse ?

MONSIEUR ORGON

C'est-à-dire que tu veux qu'il sente toute l'étendue de l'impertinence qu'il croira faire : quelle insatiable vanité d'amour-propre !

MARIO

Cela, c'est l'amour-propre d'une femme et il est tout au plus uni.

SCÈNE 5

MONSIEUR ORGON, SILVIA, MARIO, LISETTE

MONSIEUR ORGON

Paix, voici Lisette : voyons ce qu'elle nous veut.

LISETTE

Monsieur, vous m'avez dit tantôt que vous m'abandonniez Dorante, que vous livriez sa tête à ma discrétion ; je vous ai pris au mot, j'ai travaillé comme pour moi, et vous verrez de l'ouvrage bien faite, allez, c'est une tête bien conditionnée. Que voulez-vous que j'en fasse à présent ? Madame me la cède-t-elle ?

MONSIEUR ORGON

Ma fille, encore une fois n'y prétendez-vous rien ?

SILVIA

Non, je te la donne, Lisette, je te remets tous mes droits, et pour dire comme toi, je ne prendrai jamais de part à un cœur que je n'aurai pas conditionné moi-même.

LISETTE

Quoi ! Vous voulez bien que je l'épouse ? Monsieur le veut bien aussi ?

MONSIEUR ORGON

Oui, qu'il s'accommode, pourquoi t'aime-t-il ?

MARIO

J'y consens aussi moi.

LISETTE

Moi aussi, et je vous en remercie tous.

MONSIEUR ORGON

Attends, j'y mets pourtant une petite restriction, c'est qu'il faudrait pour nous disculper de ce qui arrivera, que tu lui dises un peu qui tu es.

LISETTE

Mais si je le lui dis un peu, il le saura tout à fait.

MONSIEUR ORGON

Eh bien, cette tête en si bon état, ne soutiendra-t-elle pas cette secousse-là ? je ne le crois pas de caractère à s'effaroucher là-dessus.

LISETTE

Le voici qui me cherche, ayez donc la bonté de me laisser le champ libre, il s'agit ici de mon chef-d'œuvre.

MONSIEUR ORGON

Cela est juste, retirons-nous.

SILVIA

De tout mon cœur.

MARIO

Allons.

SCÈNE 6

LISETTE, ARLEQUIN

ARLEQUIN

Enfin, ma reine, je vous vois et je ne vous quitte plus, car j'ai trop pâti d'avoir manqué de votre présence, et j'ai cru que vous esquiviez la mienne.

LISETTE

Il faut vous avouer, Monsieur, qu'il en était quelque chose.

ARLEQUIN

Comment donc, ma chère âme, élixir de mon cœur, avez-vous entrepris la fin de ma vie ?

LISETTE

Non, mon cher, la durée m'en est trop précieuse.

ARLEQUIN

Ah, que ces paroles me fortifient !

LISETTE

Et vous ne devez point douter de ma tendresse.

ARLEQUIN

Je voudrais bien pouvoir baiser ces petits mots-là, et les cueillir sur votre bouche avec la mienne.

LISETTE

Mais vous me pressiez sur notre mariage, et mon père ne m'avait pas encore permis de vous répondre, je viens de lui parler, et j'ai son aveu pour vous dire que vous pouvez lui demander ma main quand vous voudrez.

ARLEQUIN

Avant que je la demande à lui, souffrez que je la demande à vous, je veux lui rendre mes grâces de la charité qu'elle aura de vouloir bien entrer dans la mienne qui en est véritablement indigne.

LISETTE

Je ne refuse pas de vous la prêter un moment, à condition que vous la prendrez pour toujours.

ARLEQUIN

Chère petite main rondelette et potelée, je vous prends sans marchander, je ne suis pas en peine de l'honneur que vous me ferez, il n'y a que celui que je vous rendrai qui m'inquiète.

LISETTE

Vous m'en rendrez plus qu'il ne m'en faut.

ARLEQUIN

Ah que nenni, vous ne savez pas cette arithmétique-là aussi bien que moi.

LISETTE

Je regarde pourtant votre amour comme un présent du Ciel.

ARLEQUIN

Le présent qu'il vous a fait ne le ruinera pas, il est bien mesquin.

LISETTE

Je ne le trouve que trop magnifique.

ARLEQUIN

C'est que vous ne le voyez pas au grand jour.

LISETTE

Vous ne sauriez croire combien votre modestie m'embarrasse.

ARLEQUIN

Ne faites point dépense d'embarras, je serais bien effronté, si je n'étais point modeste.

LISETTE

Enfin, Monsieur, faut-il vous dire que c'est moi que votre tendresse honore ?

ARLEQUIN

Ahi, ahi, je ne sais plus où me mettre.

LISETTE

Encore une fois Monsieur, je me connais.

ARLEQUIN

Hé, je me connais bien aussi, et je n'ai pas là une fameuse connaissance, ni vous non plus, quand vous l'aurez faite ; mais c'est là le diable que de me connaître, vous ne vous attendez pas au fond du sac.

LISETTE, *à part*

Tant d'abaissement n'est pas naturel. *(Haut.)* D'où vient me dites-vous cela ?

ARLEQUIN

Et voilà où gît le lièvre.

LISETTE

Mais encore ? Vous m'inquiétez : est-ce que vous n'êtes pas ?...

ARLEQUIN

Ahi, ahi, vous m'ôtez ma couverture.

LISETTE

Sachons de quoi il s'agit.

ARLEQUIN, *à part*

Préparons un peu cette affaire-là... *(Haut.)* Madame, votre amour est-il d'une constitution bien robuste ? soutiendra-t-il bien la fatigue, que je vais lui donner ? un mauvais gîte lui fait-il peur ? je vais le loger petitement.

LISETTE

Ah, tirez-moi d'inquiétude ! en un mot qui êtes-vous ?

ARLEQUIN

Je suis... n'avez-vous jamais vu de fausse monnaie ?
savez-vous ce que c'est qu'un louis d'or faux ? Eh bien,
je ressemble assez à cela.

LISETTE

Achevez donc, quel est votre nom ?

ARLEQUIN

Mon nom ! *(À part.)* Lui dirai-je que je m'appelle
Arlequin ? non ; cela rime trop avec coquin.

LISETTE

Eh bien ?

ARLEQUIN

Ah dame, il y a un peu à tirer ici ! Haïssez-vous la
qualité de soldat ?

LISETTE

Qu'appelez-vous un soldat ?

ARLEQUIN

Oui, par exemple, un soldat d'antichambre.

LISETTE

Un soldat d'antichambre ! ce n'est donc point Dorante
à qui je parle enfin ?

ARLEQUIN

C'est lui qui est mon capitaine.

LISETTE

Faquin !

ARLEQUIN, *à part*

Je n'ai pu éviter la rime.

LISETTE

Mais voyez ce magot, tenez !

ARLEQUIN, *à part*

La jolie culbute que je fais là !

LISETTE

Il y a une heure que je lui demande grâce, et que je m'épuise en humilités pour cet animal-là !

ARLEQUIN

Hélas, Madame, si vous préfériez l'amour à la gloire, je vous ferais bien autant de profit qu'un Monsieur.

LISETTE, *riant*

Ah, ah, ah, je ne saurais pourtant m'empêcher d'en rire, avec sa gloire ; et il n'y a plus que ce parti-là à prendre... va, va, ma gloire te pardonne, elle est de bonne composition.

ARLEQUIN

Tout de bon, charitable dame ? ah, que mon amour vous promet de reconnaissance !

LISETTE

Touche là, Arlequin ; je suis prise pour dupe : le soldat d'antichambre de Monsieur vaut bien la coiffeuse de Madame.

ARLEQUIN

La coiffeuse de Madame !

LISETTE

C'est mon capitaine ou l'équivalent.

ARLEQUIN

Masque !

LISETTE

Prends ta revanche.

ARLEQUIN

Mais voyez cette magotte, avec qui, depuis une heure, j'entre en confusion de ma misère !

LISETTE

Venons au fait ; m'aimes-tu ?

ARLEQUIN

Pardi oui, en changeant de nom, tu n'as pas changé de visage, et tu sais bien que nous nous sommes promis fidélité en dépit de toutes les fautes d'orthographe.

LISETTE

Va, le mal n'est pas grand, consolons-nous, ne faisons semblant de rien, et n'apprêtons point à rire ; il y a apparence que ton maître est encore dans l'erreur à l'égard de ma maîtresse, ne l'avertis de rien, laissons les choses comme elles sont. Je crois que le voici qui entre. Monsieur, je suis votre servante.

ARLEQUIN

Et moi, votre valet, Madame. *(Riant.)* Ha, ha, ha !

Scène 7

DORANTE, ARLEQUIN

DORANTE

Eh bien, tu quittes la fille d'Orgon, lui as-tu dit qui tu étais ?

ARLEQUIN

Pardi oui, la pauvre enfant ! j'ai trouvé son cœur plus doux qu'un agneau, il n'a pas soufflé. Quand je lui ai dit que je m'appelais Arlequin, et que j'avais un habit d'ordonnance : Eh bien, mon ami, m'a-t-elle dit, chacun a son nom dans la vie, chacun a son habit, le vôtre ne vous coûte rien, cela ne laisse pas que d'être gracieux.

DORANTE

Quelle sotte histoire me contes-tu là ?

ARLEQUIN

Tant y a que je vais la demander en mariage.

DORANTE

Comment, elle consent à t'épouser ?

ARLEQUIN

La voilà bien malade.

DORANTE

Tu m'en imposes, elle ne sait pas qui tu es.

ARLEQUIN

Par la ventrebleu, voulez-vous gager que je l'épouse avec la casaque sur le corps, avec une souguenille, si vous me fâchez ? je veux bien que vous sachiez qu'un amour de ma façon n'est point sujet à la casse, que je n'ai pas besoin de votre friperie pour pousser ma pointe, et que vous n'avez qu'à me rendre la mienne.

DORANTE

Tu es un fourbe, cela n'est pas concevable, et je vois bien qu'il faudra que j'avertisse Monsieur Orgon.

ARLEQUIN

Qui ? notre père ? ah, le bon homme ! nous l'avons dans notre manche ; c'est le meilleur humain, la meilleure pâte d'homme... vous m'en direz des nouvelles.

DORANTE

Quel extravagant ! as-tu vu Lisette ?

ARLEQUIN

Lisette ! non ; peut-être a-t-elle passé devant mes yeux, mais un honnête homme ne prend pas garde à une chambrière : je vous cède ma part de cette attention-là.

DORANTE

Va-t'en, la tête te tourne.

ARLEQUIN

Vos petites manières sont un peu aisées, mais c'est la grande habitude qui fait cela. Adieu, quand j'aurai épousé, nous vivrons but à but. Votre soubrette arrive. Bonjour, Lisette, je vous recommande Bourguignon, c'est un garçon qui a quelque mérite.

SCÈNE 8

DORANTE, SILVIA

DORANTE, *à part*

Qu'elle est digne d'être aimée ! pourquoi faut-il que Mario m'ait prévenu ?

SILVIA

Où étiez-vous donc Monsieur ? Depuis que j'ai quitté Mario, je n'ai pu vous retrouver pour vous rendre compte de ce que j'ai dit à Monsieur Orgon.

DORANTE

Je ne me suis pourtant pas éloigné ; mais de quoi s'agit-il ?

SILVIA, *à part*

Quelle froideur ! *(Haut.)* J'ai eu beau décrier votre valet, et prendre sa conscience à témoin de son peu de mérite, j'ai eu beau lui représenter qu'on pouvait du moins reculer le mariage, il ne m'a pas seulement écoutée ; je vous avertis même qu'on parle d'envoyer chez le notaire, et qu'il est temps de vous déclarer.

DORANTE

C'est mon intention ; je vais partir incognito, et je laisserai un billet qui instruira Monsieur Orgon de tout.

SILVIA, *à part*

Partir ! ce n'est pas là mon compte.

DORANTE

N'approuvez-vous pas mon idée ?

SILVIA

Mais... pas trop.

DORANTE

Je ne vois pourtant rien de mieux dans la situation où je suis, à moins que de parler moi-même, et je ne saurais m'y résoudre ; j'ai d'ailleurs d'autres raisons qui veulent que je me retire : je n'ai plus que faire ici.

SILVIA

Comme je ne sais pas vos raisons, je ne puis ni les approuver, ni les combattre ; et ce n'est pas à moi à vous les demander.

DORANTE

Il vous est aisé de les soupçonner, Lisette.

SILVIA

Mais je pense, par exemple, que vous avez du dégoût pour la fille de Monsieur Orgon.

DORANTE

Ne voyez-vous que cela ?

SILVIA

Il y a bien encore certaines choses que je pourrais supposer ; mais je ne suis pas folle, et je n'ai pas la vanité de m'y arrêter.

DORANTE

Ni le courage d'en parler ; car vous n'auriez rien d'obligeant à me dire. Adieu, Lisette.

SILVIA

Prenez garde, je crois que vous ne m'entendez pas, je suis obligée de vous le dire.

DORANTE

À merveille ! et l'explication ne me serait pas favorable, gardez-moi le secret jusqu'à mon départ.

SILVIA

Quoi, sérieusement, vous partez ?

DORANTE

Vous avez bien peur que je ne change d'avis.

SILVIA

Que vous êtes aimable d'être si bien au fait !

DORANTE

Cela est bien naïf : adieu.

Il s'en va.

SILVIA, *à part*

S'il part, je ne l'aime plus, je ne l'épouserai jamais... *(Elle le regarde aller.)* Il s'arrête pourtant, il rêve, il regarde si je tourne la tête, je ne saurais le rappeler moi... Il serait pourtant singulier qu'il partît après tout ce que j'ai fait... Ah, voilà qui est fini, il s'en va, je n'ai pas tant de pouvoir sur lui que je le croyais : mon frère est un maladroit, il s'y est mal pris, les gens indifférents gâtent tout. Ne suis-je pas bien avancée ? quel dénouement ! Dorante reparaît pourtant ; il me semble qu'il revient, je me dédis donc ; je l'aime encore... Feignons de sortir, afin qu'il m'arrête : il faut bien que notre réconciliation lui coûte quelque chose.

DORANTE, *l'arrêtant*

Restez, je vous prie, j'ai encore quelque chose à vous dire.

SILVIA

À moi, Monsieur ?

DORANTE

J'ai de la peine à partir sans vous avoir convaincue que je n'ai pas tort de le faire.

SILVIA

Eh, Monsieur, de quelle conséquence est-il de vous justifier auprès de moi ? Ce n'est pas la peine, je ne suis qu'une suivante, et vous me le faites bien sentir.

DORANTE

Moi, Lisette ! est-ce à vous à vous plaindre, vous qui me voyez prendre mon parti sans me rien dire ?

SILVIA

Hum, si je voulais je vous répondrais bien là-dessus.

DORANTE

Répondez donc, je ne demande pas mieux que de me tromper. Mais que dis-je ! Mario vous aime.

SILVIA

Cela est vrai.

DORANTE

Vous êtes sensible à son amour, je l'ai vu par l'extrême envie que vous aviez tantôt que je m'en allasse, ainsi, vous ne sauriez m'aimer.

SILVIA

Je suis sensible à son amour ! qui est-ce qui vous l'a dit ? je ne saurais vous aimer ! qu'en savez-vous ? Vous décidez bien vite.

DORANTE

Eh bien, Lisette, par tout ce que vous avez de plus cher au monde, instruisez-moi de ce qui en est, je vous en conjure.

SILVIA

Instruire un homme qui part !

DORANTE

Je ne partirai point.

SILVIA

Laissez-moi, tenez, si vous m'aimez, ne m'interrogez point. Vous ne craignez que mon indifférence, et vous êtes trop heureux que je me taise. Que vous importent mes sentiments ?

DORANTE

Ce qu'ils m'importent, Lisette ? peux-tu douter encore que je ne t'adore ?

SILVIA

Non, et vous me le répétez si souvent que je vous crois ; mais pourquoi m'en persuadez-vous ? que voulez-vous que je fasse de cette pensée-là, Monsieur ? je vais vous parler à cœur ouvert, vous m'aimez, mais votre amour n'est pas une chose bien sérieuse pour vous. Que de ressources n'avez-vous pas pour vous en défaire ! la distance qu'il y a de vous à moi, mille objets que vous allez trouver sur votre chemin, l'envie qu'on aura de vous rendre sensible, les amusements d'un homme de votre condition, tout va vous ôter cet amour dont vous m'entretenez impitoyablement, vous en rirez peut-être au sortir d'ici, et vous aurez raison. Mais moi, Monsieur, si je m'en ressouviens, comme j'en ai peur, s'il m'a frappée, quel secours aurai-je contre l'impression qu'il m'aura faite ? qui est-ce qui me dédommagera de votre perte ? Qui voulez-vous que mon cœur mette à votre place ? savez-vous bien que si je vous aimais, tout ce qu'il y a de plus grand dans le monde ne me toucherait plus ? jugez donc de l'état où je resterais, ayez la générosité de me cacher votre amour. Moi qui vous parle, je me ferais un scrupule de vous dire que je vous aime, dans les dispositions où vous êtes ; l'aveu de mes sentiments pourrait exposer votre raison, et vous voyez bien aussi que je vous les cache.

DORANTE

Ah, ma chère Lisette, que viens-je d'entendre ! tes paroles ont un feu qui me pénètre, je t'adore, je te respecte. Il n'est ni rang, ni naissance, ni fortune qui ne disparaisse devant une âme comme la tienne ; j'aurais honte que mon orgueil tînt encore contre toi, et mon cœur et ma main t'appartiennent.

SILVIA

En vérité, ne mériteriez-vous pas que je les prisse, ne faut-il pas être bien généreuse pour vous dissimuler le plaisir qu'ils me font, et croyez-vous que cela puisse durer ?

DORANTE

Vous m'aimez donc ?

SILVIA

Non, non ; mais si vous me le demandez encore, tant pis pour vous.

DORANTE

Vos menaces ne me font point de peur.

SILVIA

Et Mario, vous n'y songez donc plus ?

DORANTE

Non, Lisette ; Mario ne m'alarme plus, vous ne l'aimez point, vous ne pouvez plus me tromper, vous avez le cœur vrai, vous êtes sensible à ma tendresse : je ne saurais en douter au transport qui m'a pris, j'en suis sûr, et vous ne sauriez plus m'ôter cette certitude-là.

SILVIA

Oh, je n'y tâcherai point, gardez-la, nous verrons ce que vous en ferez.

DORANTE

Ne consentez-vous pas d'être à moi ?

SILVIA

Quoi, vous m'épouserez malgré ce que vous êtes, malgré la colère d'un père, malgré votre fortune ?

DORANTE

Mon père me pardonnera dès qu'il vous aura vue, ma fortune nous suffit à tous deux, et le mérite vaut bien la naissance : ne disputons point, car je ne changerai jamais.

SILVIA

Il ne changera jamais ! savez-vous bien que vous me charmez, Dorante ?

DORANTE

Ne gênez donc plus votre tendresse, et laissez-la répondre...

SILVIA

Enfin, j'en suis venue à bout ; vous, vous ne changerez jamais ?

DORANTE

Non, ma chère Lisette.

SILVIA

Que d'amour !

SCÈNE DERNIÈRE

MONSIEUR ORGON, SILVIA, DORANTE, LISETTE,
ARLEQUIN, MARIO

SILVIA

Ah, mon père, vous avez voulu que je fusse à
Dorante, venez voir votre fille vous obéir avec plus de
joie qu'on n'en eut jamais.

DORANTE

Qu'entends-je ! vous son père, Monsieur ?

SILVIA

Oui, Dorante, la même idée de nous connaître nous
est venue à tous deux. Après cela, je n'ai plus rien à
vous dire ; vous m'aimez, je n'en saurais douter, mais
à votre tour jugez de mes sentiments pour vous, jugez
du cas que j'ai fait de votre cœur par la délicatesse avec
laquelle j'ai tâché de l'acquérir.

MONSIEUR ORGON

Connaissez-vous cette lettre-là ? Voilà par où j'ai
appris votre déguisement, qu'elle n'a pourtant su que
par vous.

DORANTE

Je ne saurais vous exprimer mon bonheur, Madame ;
mais ce qui m'enchante le plus, ce sont les preuves que
je vous ai données de ma tendresse.

MARIO

Dorante me pardonne-t-il la colère où j'ai mis
Bourguignon ?

DORANTE

Il ne vous la pardonne pas, il vous en remercie.

ARLEQUIN

De la joie, Madame ! vous avez perdu votre rang,
mais vous n'êtes point à plaindre, puisque Arlequin
vous reste.

LISETTE

Belle consolation ! il n'y a que toi qui gagnes à cela.

ARLEQUIN

Je n'y perds pas ; avant notre reconnaissance, votre dot valait mieux que vous ; à présent, vous valez mieux que votre dot. Allons, saute Marquis !

604

Composition PCA à Rezé
Achevé d'imprimer par CPI Aubin Imprimeur
en décembre 2009 pour le compte de E.J.L.
87, quai Panhard-et-Levassor, 75013 Paris
Dépôt légal décembre 2009
1er dépôt légal dans la collection : juillet 2003
EAN 9782290335666
Diffusion France et étranger : Flammarion